René Descartes

Abhandlung über die Methode, richtig zu denken und Wahrheit in den Wissenschaften zu suchen

Übersetzt von Julius Heinrich von Kirchmann

Klassiker in neuer Rechtschreibung, Band 30

René Descartes: Abhandlung über die Methode, richtig zu denken und Wahrheit in den Wissenschaften zu suchen

Übersetzt von Julius Heinrich von Kirchmann.

Erstdruck (anonym) unter dem Titel »Discours de la méthode pour bien conduire sa raison et chercher la vérité dans les sciences« in: »Essais«, Leiden 1637. Text nach der Übersetzung durch Julius Heinrich von Kirchmann von 1870.

Der Text dieser Ausgabe folgt:
René Descartes' philosophische Werke. Übersetzt, erläutert und mit einer Lebensbeschreibung des Descartes versehen von J. H. von Kirchmann, Abteilung I-III, Berlin: L. Heimann, 1870 (Philosophische Bibliothek, Bd. 25/26).

Die Paginierung obiger Ausgabe wird hier als Marginalie zeilengenau mitgeführt. Der Text wurde behutsam an die neue deutsche Rechtschreibung angepasst.

Neu herausgegeben und mit einer Biografie des Autors versehen von Klara Neuhaus-Richter, Berlin 2021.
knr@henricus-verlag.de

Umschlaggestaltung von Rainer Richter unter Verwendung einer Porträtzeichnung von Josefine Weinschrott.

Gesetzt aus der Minion Pro, 11 pt

ISBN 978-3-8478-4880-6

Bibliografische Information der Deutschen Nationalbibliothek:
Die Deutsche Nationalbibliothek verzeichnet diese Publikation in der Deutschen Nationalbibliografie; detaillierte bibliografische Daten sind im Internet über www.dnb.de abrufbar.

Henricus - Edition Deutsche Klassik GmbH, Berlin
Herstellung: Books on Demand GmbH, Norderstedt

Abhandlung über die Methode, richtig zu denken und die Wahrheit in den Wissenschaften zu suchen.

(Discours de la méthode pour bien conduire sa raison et chercher la vérité dans les sciences)

Vorwort

Da diese Abhandlung zu lang ist, um mit einem Male durchlesen zu werden, so kann man sie in sechs Abschnitte teilen. In dem *ersten* wird man dann mancherlei Betrachtungen in Bezug auf die Wissenschaften finden; in dem *zweiten* die Hauptregeln der von dem Verfasser gesuchten Methode; in dem *dritten* einige aus dieser Methode abgeleitete Regeln der Moral; in dem *vierten* die Gründe, aus denen er das Dasein Gottes und der menschlichen Seele beweist, welche die Grundlagen seiner Metaphysik bilden; in dem *fünften* eine Reihe von Erörterungen über naturwissenschaftliche Fragen, insbesondere die
19 Erklärung von dem Herzschlag und einigen anderen schwierigen Gegenständen der Medizin; ferner den Unterschied zwischen den unsrigen und den Tierseelen, und in dem *letzten* einiges, was nach des Verfassers Ansicht nötig ist, um in der Erkenntnis der Natur weiter als bisher vorzuschreiten, sowie die Gründe, welche ihn zu schriftstellerischen
20 Arbeiten bestimmt haben.

Erster Abschnitt

Der gesunde Verstand ist das, was in der Welt am besten verteilt ist; denn jedermann meint damit so gut versehen zu sein, dass selbst Personen, die in allen anderen Dingen schwer zu befriedigen sind, doch an Verstand nicht mehr, als sie haben, sich zu wünschen pflegen. Da sich schwerlich alle Welt hierin täuscht, so erhellt, dass das Vermögen, richtig zu urteilen und die Wahrheit von der Unwahrheit zu unterscheiden, worin eigentlich das besteht, was man gesunden Verstand nennt, von Natur bei allen Menschen gleich ist, und dass mithin die Verschiedenheit der Meinungen nicht davon kommt, dass der eine mehr Verstand als der andere hat, sondern dass wir mit unseren Gedanken verschiedene Wege verfolgen und nicht dieselben Dinge betrachten. Denn es kommt nicht bloß auf den gesunden Verstand, sondern wesentlich auch auf dessen gute Anwendung an. Die größten Geister sind der größten Laster so gut wie der größten Tugenden fähig, und auch die, welche nur langsam gehen, können doch weit vorwärtskommen, wenn sie den geraden Weg einhalten und nicht, wie andere, zwar laufen, aber sich davon entfernen.

Ich selbst habe nie meinen Geist im Allgemeinen für vollkommener als den anderer gehalten, aber oft habe ich mir die schnelle Auffassung oder die scharfe und bestimmte Vorstellungskraft oder das gleich umfassende und schnelle Gedächtnis anderer gewünscht. Nach meiner Einsicht dienen nur diese Eigenschaften zur Vervollkommnung des Geistes; denn wenn auch die Vernunft oder der Verstand allein uns zu Menschen macht und von den Tieren unterscheidet, so möchte ich doch glauben, dass dieser in jedem ein Ganzes ist, und hierin den Philosophen beitreten, welche das mehr oder weniger nur bei den Akzidenzen annehmen, aber nicht bei den Formen oder Naturen der Einzelnen einer Gattung.

Aber ich scheue mich nicht zu sagen, dass ich viel Glück gehabt und seit meiner Jugend mich auf Wegen befunden habe, welche mich zu Betrachtungen und Regeln geleitet, aus denen ich eine Methode gebildet habe, die mir geeignet scheint, allmählich meine Kenntnisse zu vermehren und sie nach und nach auf den höchsten Punkt zu erheben, welchen die Mittelmäßigkeit meines Geistes und die kurze Dauer meines Lebens zu erreichen gestatten. Denn ich habe schon solche Früchte von ihr geerntet, obgleich ich nach dem, wie ich mich kenne, mehr zu Zweifeln als zu anmaßlichen Behauptungen neige. Betrachte ich die verschiedenen Handlungen und Unternehmungen der Menschen mit dem Auge des Philosophen, so scheinen sie mir alle eitel und unnütz. Ich empfinde deshalb eine hohe Befriedigung über die Fortschritte, die ich bereits in der Erforschung der Wahrheit gemacht zu haben glaube, und hoffe so viel von der Zukunft, dass unter allen Beschäftigungen der Menschen, als solche, die von mir erwählte mir allein als wahrhaft gut und wertvoll erscheint.

Trotzdem kann ich mich irren, und es ist vielleicht nur Kupfer und Glas, was ich für Gold und Diamanten nehme. Ich weiß, wie leicht man sich in eigenen Angelegenheiten täuscht, und wie verdächtig selbst die günstigen Urteile der Freunde uns sein müssen. Aber ich werde mit Vergnügen in dieser Abhandlung die von mir vorgeschlagenen Wege schildern und mein Leben wie in einem Gemälde aufrollen, damit jeder selbst urteilen könne. Wenn mir von diesen Urteilen später etwas zu Ohren kommt, so soll es ein neues Mittel der Belehrung für mich werden, was ich zu den von mir geübten hinzufügen werde.

21

Meine Absicht ist also hier nicht, die Methode zu lehren, die jeder zur richtigen Leitung seines Verstandes zu befolgen habe, sondern ich will nur zeigen, wie ich den meinigen zu leiten gestrebt habe. Wer Lehren geben will, muss sich für klüger halten als die, an welche er sich richtet, und bei dem geringsten Versehen trifft ihn der Tadel. Ich biete daher diese Schrift nur als eine Erzählung oder, wenn man lieber will, als eine Fabel dar, wo neben nachahmenswerten Beispielen sich vielleicht auch manche finden, denen man mit Recht nicht folgen mag. So hoffe ich, dass sie manchem nützen und niemandem schaden werde, und dass alle mir für meine Offenheit Dank wissen werden.

Ich bin seit meiner Kindheit in den Wissenschaften unterrichtet worden, und da man mich versicherte, dass dadurch eine klare und sichere Kenntnis von allem zum Leben Nützlichen gewonnen werde, so entstand in mir das dringende Verlangen, sie zu erlernen. Sobald ich jedoch die Studien vollendet hatte, nach deren Abschluss man unter die Klasse der Gelehrten aufgenommen zu werden pflegt, änderte sich meine Ansicht gänzlich. Denn ich sah mich von so viel Zweifeln und Irrtümern bedrängt, dass ich von meinen Studien nur den einen Vorteil hatte, meine Unwissenheit mehr und mehr einzusehen. Und dennoch befand ich mich in einer der berühmtesten Schulen Europas, in welcher, wenn es irgendwo gelehrte Männer gab, dergleichen sein mussten. Ich hatte alles gelernt, was die andern daselbst lernten; ich hatte sogar mich nicht mit den Wissenschaften, die man uns lehrte, begnügt, sondern alle Bücher durchlesen, die von den seltensten und wissenswürdigsten Dingen handelten und mir in die Hände fielen. Daneben kannte ich die Urteile anderer über mich, und ich wusste, dass man mich nicht unter meine Mitschüler stellte, obgleich manche darunter die Stelle unserer Lehrer auszufüllen bestimmt waren. Auch hielt ich dieses Jahrhundert für so frisch und fruchtbar an guten Köpfen als irgendein vorhergegangenes. So nahm ich mir die Freiheit, die andern nach mir zu beurteilen und an keine solche Lehre in der 22 Welt zu glauben, wie man sie früher mich hatte hoffen lassen.

Ich verachtete jedoch deshalb die Arbeiten nicht, mit denen man in den Schulen sich beschäftigte. Ich erkannte, dass die hier gelehrten Sprachen zum Verständnis der alten Bücher nötig sind; dass die Zierlichkeit der Fabeln den Geist weckt; dass die merkwürdigen Taten in der Geschichte ihn erheben und, mit Einsicht gelesen, das Urteil bilden helfen. Das Lesen der guten Bücher gleicht einer Unterhaltung mit ihren Verfassern, als den besten Männern vergangener Zeiten, und zwar einer auserlesenen Unterhaltung, in welcher sie uns nur ihre besten Gedanken offenbaren. Ebenso hat die Beredsamkeit ihre Macht und unvergleichliche Schönheit; die Dichtkunst hat ihre Feinheiten und entzückenden Genüsse; die Mathematiker zeigen ihre scharfsinnigen Erfindungen, welche ebenso wohl den Wissbegierigen befriedigen, wie den Künsten zustattenkommen und die menschliche Arbeit erleichtern. Ebenso enthalten die moralischen Schriften viele nützliche Belehrungen und Ermahnungen zur Tugend; die Gottesgelahrtheit lehrt den Himmel gewinnen; die Philosophie gewährt die Mittel, über alles zuverlässig zu sprechen und von den weniger Gelehrten sich bewundern zu lassen; die Rechtswissenschaft, die Medizin und die anderen Wissenschaften bringen ihren Jüngern Ehre und Reichtum; endlich ist es gut, wenn man sie alle geprüft hat, um ihren wahren Wert zu erkennen und sich vor Betrug zu schützen.

Indes meinte ich schon zu viel Zeit auf die Sprachen und selbst auf die alten Bücher, ihre Geschichten und Fabeln verwendet zu haben; denn die Unterhaltung mit Personen aus früheren Jahrhunderten ist wie das Reisen. Es ist gut, wenn man mit den Sitten verschiedener

Völker bekannt wird, um über die unsrigen ein gesundes Urteil zu gewinnen und nicht zu glauben, dass alles, was gegen unsere Gebräuche läuft, lächerlich oder unvernünftig sei, wie dies leicht von dem geschieht, der nichts gesehen hat. Verwendet man aber zu viel Zeit auf das Reisen, so wird man zuletzt in seinem eigenen Vaterlande fremd, und bekümmert man sich zu sehr um das, was in vergangenen Jahr-

23

hunderten geschehen, so bleibt man meist sehr unwissend in dem, was in dem gegenwärtigen vorgeht. Außerdem lassen die Fabeln vieles für möglich halten, was es nicht ist, und selbst die zuverlässigsten Geschichtschreiber verändern oder vergrößern die Bedeutung der Ereignisse, um sie lesenswerter zu machen, oder sie lassen wenigstens die geringen und weniger glänzenden Umstände beiseite, sodass der Überrest nicht mehr so bleibt, wie er ist. So geraten die, welche ihr Verhalten nach diesen Beispielen einrichten, leicht in die Tollheiten unserer Ritterromane und fassen Pläne, die ihre Kräfte übersteigen.

Ich schätzte die Beredsamkeit hoch und liebte die Dichtkunst; aber ich hielt beide mehr für Geschenke der Natur als für Früchte des Fleißes. Wer den besten Verstand hat und seine Gedanken am richtigsten ordnet und am klarsten und verständlichsten ausdrückt, wird seine Aussprüche am besten verteidigen, wenn es auch in schlechtem Dialekt geschieht, und er nie die Beredsamkeit gelernt hat. Ebenso sind die, welche die ansprechendsten Einfälle haben und sie am zierlichsten und gefühlvollsten schildern können, die besten Dichter, auch wenn die Dichtkunst ihnen unbekannt geblieben ist.

Ich erfreute mich vorzüglich an der Mathematik wegen der Gewissheit und Sicherheit ihrer Beweise; allein ich erkannte ihren Nutzen noch nicht. Ich meinte, sie diene nur den mechanischen Künsten, und wunderte mich, dass man auf ihren festen und dauerhaften Grundlagen nichts Höheres aufgebaut hatte. Umgekehrt erschienen mir die moralischen Schriften der alten Heiden wie prächtige und großartige, aber auf Sand und Schmutz erbaute Paläste. Sie erheben die Tugend hoch und lassen sie als das Wertvollste von allen Dingen der Welt erscheinen, aber sie lehren sie nicht genug erkennen, und oft ist es nur eine Unempfindlichkeit oder ein Stolz oder eine Verzweiflung oder ein Vatermord, was sie mit dem schönen Namen der Tugend belegen.

Ich verehrte unsere Gottesgelahrtheit und mochte gleich jedem anderen den Himmel verdienen; als ich indes erkannte, dass der Weg dahin den Unwissenden ebenso offen steht wie den Gelehrten, und dass die geoffenbarten Wahrheiten, welche dahin führen, unsere Einsicht übersteigen, so wagte ich es nicht, sie meiner schwachen Vernunft zu unterbreiten; denn das Unternehmen ihrer Prüfung verlangt zu seinem Gelingen eines außerordentlichen Beistandes des Himmels und einer mehr als menschlichen Kraft. 24

Von der Philosophie kann ich nur sagen, dass, obgleich sie seit vielen Jahrhunderten von den ausgezeichnetsten Geistern gepflegt worden, dessen ungeachtet kein Satz darin unbestritten und folglich unzweifelhaft ist. Ich war nun nicht anmaßend genug, um zu hoffen, dass es mir besser wie den andern gelingen werde. Ich überlegte, wie vielerlei verschiedene Meinungen über einen Gegenstand von den Gelehrten verteidigt werden, während doch die wahre nur *eine* sein kann, und deshalb galt mir selbst das Wahrscheinliche für falsch.

Was aber die übrigen Wissenschaften anlangt, die ihre Grundsätze von der Philosophie entlehnen, so meinte ich, dass man auf so unsicheren Unterlagen nichts Dauerhaftes errichten könne, und weder die Ehre, noch den Gewinn, den sie versprachen, konnten in mir den Wunsch, sie zu lernen, erwecken; denn – Gott sei Dank! – nötigten meine Verhältnisse mich nicht, aus der Wissenschaft ein Gewerbe für meinen Unterhalt zu machen. Ich verachtete zwar nicht den Ruhm, wie ein Zyniker, aber ich machte mir wenig aus einem solchen, den ich nur mit Unrecht verdiente. Endlich kannte ich bereits den Wert falscher Lehren hinlänglich, sodass die Versprechen der Alchemisten und die Weissagungen der Astrologen und die Betrügereien der Zauberer und die Kunststücke und Lobpreisungen derer mich nicht täuschen konnten, die ein Geschäft daraus machen, mehr zu wissen, als sie wissen.

Ich gab deshalb, sobald mein Alter mich der Aufsicht meiner Lehrer enthob, das Studium der Wissenschaften gänzlich auf. Ich verlangte nur noch nach der Wissenschaft, die ich in mir selbst oder in dem großen Buche der Natur finden würde, und benutzte den Rest meiner Jugend zu Reisen. Ich sah die Höfe und die Kriegsheere, verkehrte mit Leuten jeden Standes und Temperamentes, sammelte mancherlei Erfahrungen, erprobte mich in den Widerwärtigkeiten des Schicksals und betrachtete alle vorkommenden Dinge so, dass ich einen Nutzen daraus ziehen konnte. Es schien mir, dass ich viel mehr Wahrheit in den Betrachtungen finden konnte, die jeder über *die* Dinge anstellt, die ihn betreffen, und deren Ausgang ihm bald die Strafe für ein fal- 25 sches Urteil bringt, als in denen, welche der Gelehrte in seinem Zimmer über nutzlose Spekulationen anstellt, die ihn höchstens umso eitler machen, je mehr er sich dabei von dem gesunden Verstande entfernen muss; denn umso mehr muss er Geist und Kunst aufwenden, um sie annehmbar zu machen. Ich hatte von jeher das eifrige Verlangen, den Unterschied des Wahren und Falschen zu erkennen, um in meinen Handlungen klarzusehen und im Leben mit Sicherheit vorzuschreiten.

Selbst bei der Betrachtung der Sitten anderer fand ich nichts Zuverlässiges; ich sah hier beinahe dieselben Gegensätze wie früher in den Meinungen der Philosophen. Der wichtigste Vorteil, den ich davon zog, war die Einsicht, dass selbst die ausschweifendsten und lächerlichsten Dinge bei großen Völkern allgemeine Annahme und Billigung finden können, und dass ich mich nicht zu sehr auf das verlassen dürfe, was mir selbst durch Beispiel und Gewohnheit beigebracht worden war.

So befreite ich mich nach und nach von vielen Irrtümern, die unser natürliches Licht verdunkeln und den Ausspruch der Vernunft uns weniger hören lassen; und nachdem ich so mehrere Jahre in dem Studium des Buches der Welt verbracht und einige Erfahrung zu sammeln versucht hatte, fasste ich eines Tages den Plan, auch mich selbst zu erforschen und alle meine Geisteskraft zur Auffindung des rechten Weges anzustrengen. Dies gelang mir auch, glaube ich, nunmehr viel besser, als wenn ich mich nie von meinem Vaterlande und von meinen Büchern entfernt gehabt hätte.

26

Zweiter Abschnitt

Ich war damals in Deutschland, wohin die Kriege, welche noch heute nicht beendet sind, mich gelockt hatten. Als ich von der Kaiserkrönung zum Heere zurückkehrte, hielt mich der einbrechende Winter in einem Quartiere fest, wo ich keine Gesellschaft fand, die mich interessierte und wo glücklicherweise weder Sorgen noch Leidenschaften mich beunruhigten. So blieb ich den ganzen Tag in einem warmen Zimmer eingeschlossen und hatte volle Muße, mich in meine Gedanken zu vertiefen.

Einer der ersten dieser Gedanken ließ mich bemerken, dass die aus vielen Stücken zusammengesetzen und von der Hand verschiedener Meister gefertigten Werke oft nicht so vollkommen sind als die, welche nur *einer* gefertigt hat. So sind die von *einem* Baumeister unternommenen und ausgeführten Bauten schöner und von besserer Anordnung als die, wo mehrere gebessert, und man alte Mauern, die zu anderem Zweck gedient, dabei benutzt hat. So sind jene alten Städte, die anfangs nur Burgflecken waren, aber im Laufe der Zeit groß geworden sind, im Vergleich zu den regelmäßigen Plätzen, die ein Ingenieur nach seinem Gutdünken in einer Ebene anlegt, meist so schlecht eingeteilt, dass ohnerachtet der hohen Kunst des Einzelnen man doch bei dem Anblick ihrer schlechten Ordnung und der krummen und ungleichen Straßen sie eher für Werke des Zufalls als für die vernünftiger Wesen hält. Trotzdem gab es zu allen Zeiten Beamte, welche die einzelnen Bauten im Interesse der allgemeinen Zierde zu beaufsichtigen hatten. Man sieht also, wie schwer es ist, etwas Vollständiges zu erreichen, wenn man nur die Arbeiten anderer benutzt. Deshalb befinden sich auch halb wilde und nur nach und nach zivilisierte Völker, die ihre Gesetze nur nach Maßgabe der gerade vorkommenden Verbrechen und Streitigkeiten erließen, nicht in so gutem Zustande als die, welche von Anfang ihrer Verbindung an die von einem weisen Gesetzgeber ausgegangene Verfassung angenommen haben. Ebenso ist es unzweifelhaft, dass eine Religion, deren Anordnungen von Gott allein ausgegangen sind, unvergleichlich besser als alle anderen geordnet sein muss. Was aber die menschlichen Dinge anlangt, so glaube ich, dass der ehemalige blühende Zustand Spartas nicht durch seine einzelnen guten Gesetze herbeigeführt worden ist, deren manche sonderbar und selbst den guten Sitten zuwider waren, sondern dadurch, dass sie sämtlich von *einem* Manne erdacht waren und dasselbe Ziel verfolgten. Das Gleiche nahm ich von den in den Büchern niedergelegten Wissenschaften an, wenigstens soweit ihre Gründe nur Wahrscheinlichkeit haben, und sie ohne Beweise allmählich aus den Meinungen einer Menge verschiedener Männer gebildet und angewachsen sind. Sie kommen der Wahrheit nicht so nahe als die einfachen Betrachtungen, welche ein Mensch von gesundem Verstande über die ihm vorkommenden Dinge in natürlicher Weise anstellt. Auch sind wir Erwachsenen ja alle früher Kinder gewesen und sind lange von unseren Begierden und von unseren Lehrern geleitet worden, die einander oft wider-

27

sprachen, und die vielleicht beide uns nicht immer das Beste rieten.
28 Unsere Urteile können deshalb nicht so rein und zuverlässig sein, als wenn wir von unserer Geburt ab den vollen Gebrauch unserer Vernunft gehabt hätten und immer von ihr allein geleitet worden wären.

Allerdings reißt man nicht alle Häuser einer Stadt nieder, nur um sie in anderer Gestalt wieder aufzuführen und die Straßen zu verschönern, aber mancher lässt das Seinige abtragen und neu bauen, ja er ist mitunter dazu gezwungen, wenn Gefahr droht, dass es von selbst einfallen werde, und die Fundamente nicht zuverlässig sind. Nach diesem Beispiel meinte ich, dass ein Einzelner schwerlich die Reform eines Staats damit beginnen werde, alle Grundlagen zu ändern und behufs des Neubaues umzustürzen; ebenso wenig wird in dieser Weise die Gesamtheit der Wissenschaften oder die in den Schulen eingeführte Weise des Unterrichts verbessert werden können. Aber in Betreff der von mir bisher angenommenen Meinungen schien es mir das Beste, sie mit einem Male ganz zu beseitigen, um nachher bessere oder auch vielleicht dieselben, aber nach dem Maße der Vernunft zugerichtet, an deren Stelle zu setzen. Ich war überzeugt, dass ich damit zu einem besseren Lebenswandel gelangen würde, als wenn ich auf den alten Grundlagen fortbaute und mich nur auf die Grundsätze stützte, die ich in meiner Jugend, ohne ihre Wahrheit zu prüfen, angenommen hatte. Wenn ich auch einige Schwierigkeiten hier antraf, so gab es doch Hilfsmittel dafür, und sie waren nicht mit denen zu vergleichen, die sich bei der geringsten öffentlichen Angelegenheit hervortun. Diese großen Körper sind, einmal umgestürzt, schwer wieder aufzurichten und schwer zu erhalten, wenn sie schwanken; ihr Fall muss viele hart treffen. Ihre Mängel, wenn sie deren haben, und dass dies bei den meisten der Fall, zeigt schon die bloße Verschiedenheit unter ihnen, sind durch die Gewohnheit gemildert. Vieles davon wird allmählich beseitigt oder verbessert, was durch bloße Berechnung nicht so gut erreicht werden könnte, und das Bestehende ist endlich beinahe immer erträglicher als der Wechsel. Es ist wie mit den Heerstraßen über die Gebirge; allmählich werden sie glatt und bequem durch den Gebrauch, und man tut besser, ihnen zu folgen, als geradeaus zu gehen, über Felsen zu klettern und in Abgründe hinabzusteigen.

29 Ich kann deshalb jene aufsprudelnden und unruhigen Launen nicht billigen, wo man, ohne dass Geburt oder Stellung zur Beschäftigung mit den öffentlichen Angelegenheiten auffordert, doch nicht ermüdet,

irgendeine neue Verbesserung auszudenken; und wenn diese Abhandlung nur im Geringsten mich dieser Torheit verdächtig machen könnte, sollte es mir leidtun, ihre Veröffentlichung gestattet zu haben. Ich habe mich immer darauf beschränkt, meine eigenen Gedanken zu berichtigen und auf einen Grund zu bauen, der ganz mir gehört. Wenn ich hier von meinem Werke, weil es mir gefällt, ein Muster biete, so will ich doch deshalb niemand zur Nachahmung veranlassen. Die, welche Gott mehr begnadigt hat, mögen vielleicht höhere Pläne haben; aber ich fürchte, dass schon dieser hier für manchen zu kühn sein wird. Der bloße Entschluss, sich von allem loszusagen, was man bisher für wahr gehalten hat, ist ein Schritt, den nicht jeder tun mag. Die Welt ist mit zwei Arten von Geistern erfüllt, denen beiden dies nicht gefallen wird. Die einen halten sich für klüger, als sie sind, überstürzen sich in ihren Urteilen und können ihre Gedanken nicht in Ruhe leiten. Nähmen diese sich einmal die Freiheit, an ihren angenommenen Grundsätzen zu zweifeln und von dem betretenen Wege abzuweichen, so würden sie nie den Fußweg einhalten können, der sie geradeaus führt, und sie würden ihr ganzes Leben aus den Irrwegen nicht herauskommen. Die Zweiten sind vernünftig und bescheiden genug, um einzusehen, dass sie das Wahre und Falsche weniger als andere unterscheiden; sie lassen sich von diesen unterrichten und werden deshalb lieber den Meinungen dieser folgen, als selbst etwas Besseres aufsuchen.

Ich würde unzweifelhaft zu den Letzteren gehört haben, wenn ich nur *einen* Lehrer gehabt hätte, oder wenn ich nicht die Verschiedenheit der Ansichten bemerkt hätte, die von jeher unter den Gelehrten geherrscht hat. Ich hatte bereits in dem Kolleg gelernt, dass man nichts so Fremdes und Unglaubliches sich ausdenken kann, was nicht ein Philosoph behauptet hätte. Ich bemerkte ferner auf meinen Reisen, dass selbst die, welche in ihren Ansichten von den meinigen ganz abwichen, deshalb noch keine Barbaren oder Wilde waren, sondern oft ihren Verstand ebenso gut oder besser als ich gebrauchen konnten. 30

Ich überlegte ferner, dass derselbe Mensch mit demselben Geist, je nachdem er unter den Franzosen oder Deutschen aufwächst, anders werden wird, als wenn er immer unter den Chinesen oder Kannibalen lebt, und wie bis auf die Kleidermoden hinab dieselbe Sache, die uns vor zehn Jahren gefallen hat und vielleicht vor den nächsten zehn Jahren wieder gefallen wird, uns jetzt verkehrt und lächerlich erscheint. So bestimmt uns mehr die Gewohnheit und das Beispiel als die sichere

Kenntnis; und obgleich die Mehrheit der Stimmen für schwer zu entdeckende Wahrheiten nicht viel wert ist, und es oft wahrscheinlicher ist, dass ein Einzelner sie eher als ein ganzes Volk entdecken werde, so fand ich doch niemand, dessen Meinungen mir einen Vorzug vor denen anderer zu verdienen schienen, und ich war gewissermaßen zu dem Versuch genötigt, mich selbst weiterzubringen.

Allein gleich einem Menschen, der in der Dunkelheit und allein geht, entschloss ich mich, es so langsam und mit so viel Vorsicht zu tun, dass ich, sollte ich auch nur langsam vorwärtskommen, doch vor jedem Falle geschützt bliebe. Ich beschloss sogar, nicht mit dem gänzlichen Verwerfen alles dessen zu beginnen, was sich ohne Anleitung der Vernunft in meinem Glauben eingeschlichen hatte, sondern zuvor den Plan des zu unternehmenden Werkes sattsam zu überlegen und die wahre Methode aufzusuchen, die mich zur Kenntnis alles dessen führen könnte, dessen mein Geist fähig ist.

Ich hatte in meiner Jugend von den Zweigen der Philosophie die Logik und von der Mathematik die geometrische Analysis und die Algebra ein wenig studiert, da diese drei Künste oder Wissenschaften mir für meinen Plan förderlich zu sein schienen. Bei ihrer Prüfung wurde ich indes gewahr, dass die Schlüsse der Logik und die Mehrzahl ihrer übrigen Regeln mehr dazu dienen, einem anderen das, was man weiß, zu erklären oder, wie bei der Lullischen Kunst, von dem, was (31) man nicht weiß und versteht, zu sprechen, als selbst zu lernen. Die Logik enthält allerdings viele gute und wahre Vorschriften, aber es sind auch viele schädliche und überflüssige eingemengt, welche sich so schwer von jenen trennen lassen, wie eine Diana oder Minerva aus einem rohen Marmorblock zu trennen ist. Bei der Analysis der Alten und der Algebra der Neuem fand ich, dass sie sich nur auf sehr abstrakte und nutzlose Gegenstände erstreckt. Die erste ist immer so an die Betrachtung der Figuren geknüpft, dass sie den Verstand nicht üben kann, ohne die Einbildungskraft zu ermüden; in der letzteren aber hat man sich gewissen Regeln und Zeichen unterworfen, aus denen eine verworrene und dunkle Kunst, welche den Geist beschwert, statt eine Wissenschaft, die ihn bildet, hervorgegangen ist. Dies ließ mich nach einer anderen Methode suchen, welche die Vorteile dieser drei Wissenschaften böte, ohne ihre Fehler zu haben. So wie nun die Menge der Gesetze oft dem Laster zur Entschuldigung dient, und ein Staat besser regiert ist, wenn er nur wenige, aber streng befolgte Gesetze hat; so glaubte auch ich in der Logik, statt jener großen Zahl von Regeln, die sie enthält, an den vier folgenden genug zu haben, sofern ich nur fest entschlossen blieb, sie beharrlich einzuhalten und auch nicht einmal zu verlassen.

Die *erste* Regel war, niemals eine Sache für wahr anzunehmen, ohne sie als solche genau zu kennen; d. h. sorgfältig alle Übereilung und Vorurteile zu vermeiden und nichts in mein Wissen aufzunehmen, als was sich so klar und deutlich darbot, dass ich keinen Anlass hatte, es in Zweifel zu ziehen. 32

Die *zweite* war, jede zu untersuchende Frage in so viel einfachere, als möglich und zur besseren Beantwortung erforderlich war, aufzulösen.

Die *dritte* war, in meinem Gedankengang *die* Ordnung festzuhalten, dass ich mit den einfachsten und leichtesten Gegenständen begann und nur nach und nach zur Untersuchung der verwickelten aufstieg, und eine gleiche Ordnung auch in den Dingen selbst anzunehmen, selbst wenn auch das eine nicht von Natur dem anderen vorausgeht.

Endlich *viertens*, alles vollständig zu überzählen und im Allgemeinen zu überschauen, um mich gegen jedes Übersehen zu sichern.

Die lange Kette einfacher und leichter Sätze, deren die Geometer sich bedienen, um ihre schwierigsten Beweise zustande zu bringen, ließ mich erwarten, dass alle dem Menschen erreichbaren Dinge sich ebenso folgen. Wenn man also sich nur vorsieht und nichts für wahr nimmt, was es nicht ist, und wenn man die zur Ableitung des einen aus dem anderen nötige Ordnung beobachtet, so kann man selbst den entferntesten Gegenstand endlich erreichen und den verborgensten entdecken. Auch war ich über das, womit ich den Anfang zu machen hätte, nicht in Verlegenheit. Ich wusste, dass dies das Einfachste und Leichteste sein müsste. Ich überlegte, dass von allen, welche früher die Wahrheit in den Wissenschaften gesucht hatten, allein die Mathematiker einige Beweise, d. h. einige sichere und überzeugende Gründe haben auffinden können, und so zweifelte ich nicht, dass sie mit diesen auch die Prüfung begonnen haben; und wenn ich auch keinen Nutzen sonst davon erwarten konnte, so glaubte ich doch, sie würden meinen Geist gewöhnen, sich von der Wahrheit zu nähren und nicht mit falschen Gründen sich zu begnügen.

Aber ich war deshalb nicht Willens, alle besonderen mathematischen Wissenschaften zu erlernen; denn ich sah, dass sie trotz der Verschiedenheit ihrer Gegenstände darin übereinkamen, die zwischen denselben stattfindenden Beziehungen oder Verhältnisse zu betrachten. Ich hielt es deshalb für besser, nur diese Verhältnisse überhaupt zu untersuchen und sie nur in Gegenständen zu suchen, welche die Kenntnis jener [33] mir erleichtern würden, aber ohne sie darauf zu beschränken, damit ich desto besser sie nachher auf alles andere darunter Fallende anwenden konnte. Auch hatte ich bemerkt, dass ihre Erkenntnis mitunter erfordern würde, dass ich sie im Einzelnen betrachtete oder auch nur im Gedächtnis behielt oder mehrere zusammenfasste. Ich meinte deshalb für ihre Betrachtung im Einzelnen sie am besten in Linien zu suchen, da ich nichts Einfacheres und bestimmter Wahrnehmbares kannte; um sie aber festzuhalten oder mit anderen zusammenzufassen, musste ich suchen, sie durch einige möglichst einfache Ziffern auszudrücken. Damit glaubte ich das Beste von der geometrischen Analysis und von der Algebra entlehnt zu haben und alle Mängel der einen mit der anderen zu verbessern.

Ich kann sagen, dass die Beobachtung dieser wenigen aufgestellten Regeln mich zur leichten Lösung aller von diesen beiden Wissenschaften behandelten Fragen führte. Indem ich mit dem Einfachsten und Allgemeinsten anfing, und jede gefundene Wahrheit mir zu einer Kegel wurde, um neue daraus zu gewinnen, kam ich in zwei bis drei Monaten mit verschiedenen Aufgaben zum Ziel, die ich bisher für sehr schwierig gehalten hatte, und ich meinte zuletzt selbst bei den [34] noch ungelösten Fragen die Mittel und die Grenze ihrer Auflösung bestimmen zu können. Der Leser wird mich deshalb nicht für eitel halten; er möge bedenken, dass es in jeder Sache nur *eine* Wahrheit gibt, und jeder, der sie findet, alles weiß, was davon zu wissen möglich ist. So kann z. B. ein in der Arithmetik unterrichtetes Kind, wenn es eine Addition nach seinen Regeln macht, sicher sein, in Betreff der gesuchten Summe alles gefunden zu haben, was der menschliche Geist zu finden vermag. Denn zuletzt enthält die Methode, welche die richtige Ordnung zu befolgen und alle Umstände der Aufgabe genau zu beachten lehrt, alles, was den arithmetischen Regeln ihre Gewissheit gibt.

Am meisten gefiel mir aber an dieser Methode, dass ich bei ihr in allem meinen Verstand, wo nicht vollkommen, doch so gut benutzte, als es in meinen Kräften stand. Ich bemerkte außerdem, dass mein Geist durch ihre Anwendung sich allmählich gewöhnte seinen Gegenstand reiner und bestimmter zu erfassen, und obgleich ich diese Methode noch nicht im Besonderen versucht hatte, so versprach ich mir doch von ihr bei den Schwierigkeiten anderer Wissenschaften denselben Nutzen, den sie mir in der Algebra gewährt hatte. Nicht, dass ich gewagt hätte, damit gleich alles, was sich darbot, zu prüfen; denn dies würde selbst der von ihr verlangten Ordnung zuwider gewesen sein; aber da ich bemerkt hatte, dass alle Grundsätze dieser Methode aus der Philosophie entlehnt werden müssten, und ich doch hier keine sichere vorfand, so meinte ich, vor allem dergleichen darin aufstellen zu müssen. Da dies jedoch die wichtigste Sache von der Welt ist, und Übereilung und Vorurteile hier am gefährlichsten werden, so konnte ich ein solches Unternehmen nur erst in einem reiferen Alter zu vollführen hoffen; denn ich war damals erst 23 Jahre alt und hatte meine Zeit bis dahin bloß mit Vorbereitungen hingebracht, indem ich aus meiner Seele teils alle falschen, früher empfangenen Ansichten entfernte, teils eine Menge Erfahrungen sammelte, die mir später als Stoff für meine Untersuchungen dienen sollten, teils mich in der vorgesetzten Methode übte, um mehr und mehr mich in ihr zu befestigen. 35

Dritter Abschnitt

Da es indes zu dem Wiederaufbau eines Wohnhauses nicht bloß genügt, es niederzureißen, die Materialien und den Baumeister zu beschaffen oder sich selbst der Baukunst zu befleißigen und den Plan sorgfältig entworfen zu haben, sondern auch eine andere Wohnung besorgt sein will, in der man während des Baues sich gemächlich aufhalten kann, so bildete ich mir, um während der Zeit, wo die Vernunft mich nötigte, in meinem Urteilen unentschlossen zu bleiben, es nicht auch in meinen Handlungen zu sein, und um währenddem so glücklich als möglich zu leben, als Vorrat eine Moral aus drei oder vier Grundsätzen, die ich hier mitteilen will.

Der *erste* war, den Gesetzen und Gewohnheiten meines Vaterlandes zu folgen und fest in der Religion zu bleiben, in welche Gottes Gnade 36 mich seit meiner Kindheit hatte unterrichten lassen, auch im Übrigen den gemäßigten und von dem Äußersten am meisten entfernten Ansichten zu folgen, wie sie von den Verständigsten meiner Bekannten geübt wurden. Indem ich meine eigenen Ansichten von nun ab für nichts rechnete, da ich sie sämtlich in Prüfung nehmen wollte, so glaubte ich am sichersten zu gehen, wenn ich denen der Verständigsten folgte. Vielleicht gibt es unter den Chinesen und Persern ebenso verständige Leute wie unter uns; allein es schien mir am besten, mich nach den Menschen zu richten, mit welchen ich zu leben hatte. Um ihre wahren Meinungen kennenzulernen, glaubte ich mehr auf ihre Handlungen als auf ihre Reden achthaben zu müssen. Denn in Bezug auf die Verderbnis der Sitten sagen die Menschen nicht gerne alles, was sie glauben, und viele wissen dies nicht einmal; denn die Geistestätigkeit, womit man eine Sache glaubt, ist verschieden von der, womit 37 man weiß, dass man sie glaubt, und eins ist oft da ohne das andere. Unter mehreren gleich anerkannten Meinungen wählte ich die gemäßigtesten, teils weil sie immer die am leichtest ausführbaren und die vermutlich besten sind, und jedes Übermaß gewöhnlich schlecht ist, teils um mich möglichst wenig von dem richtigen Weg zu entfernen, im Fall ich irren sollte, während bei der falschen Wahl eines Äußersten das Richtige auf der anderen Seite gelegen haben würde. Zu diesem Äußersten rechnete ich insbesondere alle Versprechen, wodurch man seine Freiheit beschränkt. Ich wollte damit nicht die Gesetze tadeln, die, um der Schwachheit schwankender Gemüter entgegenzutreten, es gestatten, für einen guten Zweck und selbst der Sicherheit des Verkehrs wegen für einen gleichgültigen Zweck Gelübde und Verträge mit rechtsverbindlicher Kraft zu machen; aber ich sah in der Welt nichts Beharrliches. Da ich nun meine Einsichten verbessern und nicht verschlimmern wollte, so würde ich mich an dem Menschenverstand versündigt haben, wenn ich jetzt eine Sache gebilligt und so mich verpflichtet hätte, sie auch dann noch für gut zu nehmen, wenn sie es entweder nicht mehr gewesen, oder ich davon nicht mehr überzeugt 38 gewesen wäre.

Meine *zweite* Regel war, in meinen Handlungen so fest und entschlossen als möglich zu sein und selbst die zweifelhafteste Meinung, nachdem ich mich einmal ihr zugewendet, ebenso festzuhalten, als wenn sie die sicherste von allen gewesen wäre. Ich folgte darin den Reisenden, die sich im Walde verirrt haben und am besten tun, nicht bald hier, bald dorthin sich zu wenden oder stehen zu bleiben, sondern so geradeaus als möglich in *einer* Richtung zu gehen und davon nicht aus Leichtsinn abzuweichen, sollte diese Richtung auch anfänglich nur aus Zufall gewählt worden sein; denn auf diese Weise werden sie, wenn auch nicht an ihr Ziel, doch endlich wenigstens irgendwohin gelangen, wo sie sich besser als mitten im Walde befinden werden. Auch gestatten die Verhältnisse oft keinen Aufschub im Handeln, und es ist deshalb ein richtiger Spruch, dass, wo man das Rechte nicht mit voller Gewissheit erkennt, man dem Wahrscheinlichsten zu folgen habe. Selbst wo diese Wahrscheinlichkeit für Mehreres sich gleich ist, hat man sich doch zu *Einem* zu entschließen und es dann für die Frage der Ausführung nicht mehr als zweifelhaft, sondern als wahr und gewiss zu nehmen, weil die Regel, nach der wir so handeln, wahr ist. Dadurch habe ich mich gegen alle Reue und Gewissensbisse geschützt, die meist das Gewissen schwacher und schwankender Gemüter beunruhigen, wenn sie eine Sache beginnen, weil sie sie erst für gut ansehen, nachher aber für schlecht halten.

Meine *dritte* Regel war, mehr mich selbst als das Schicksal zu besiegen und eher meine Wünsche als die Weltordnung zu ändern, überhaupt mich daran zu gewöhnen, dass nichts als unsere Gedanken ganz in unserer Gewalt ist, und dass, wenn man alles, was möglich ist, in den äußerlichen Dingen getan hat, das an dem Erfolge Fehlende zu dem für uns Unmöglichen gehört. Dies allein genügte, um mich in Zukunft vor Wünschen nach dem Unerreichbaren zu schützen und mich zufrieden zu machen. Denn unser Wille verlangt nur nach Dingen, die ihm der Verstand als in einer Art erreichbar darstellt; 39 betrachtet man daher alle äußerlichen Dinge als gleich weit von unserer Macht entfernt, so werden wir uns nicht mehr über den Mangel derer betrüben, die scheinbar uns von Geburts wegen gebühren, sobald nur der Mangel derselben unverschuldet ist, als dass wir nicht Kaiser von China oder Mexiko sind. Wenn man, wie es heißt, aus der Not eine Tugend macht, so verlangt man nach der Gesundheit, wenn man krank ist, oder nach der Freiheit im Gefängnis so wenig, als jetzt nach einem Körper von einem so unvergänglichen Stoff wie dem Diamant, oder nach Flügeln, um wie die Vögel zu fliegen.

Aber ich gestehe, dass es langer Übung und wiederholten Nachdenkens bedarf, um sich an die Betrachtung der Dinge aus diesem Gesichtspunkt zu gewöhnen. Wahrscheinlich besteht hierin vorzüglich das Geheimnis jener Philosophen, die in alten Zeiten sich der Macht des Schicksals entziehen und trotz der Schmerzen und Armut mit ihren Göttern sich über das Glück unterhalten konnten. Indem sie immer die von der Natur ihnen gesetzten Grenzen beachteten, waren sie fest überzeugt, dass nichts als ihre Gedanken in ihrer Macht stehe, und dies genügte, um sie vor jedem Verlangen nach anderen Dingen zu bewahren und ihre Neigungen so zu beherrschen, dass sie mit Grund sich für reicher, mächtiger und freier halten konnten als andere, die ohne diese Philosophie trotz aller nur möglichen Gunst der Natur und des Glückes nicht diese Gewalt über ihren Willen hatten.

Zur Vollendung dieser Moral beschloss ich, die verschiedenen Beschäftigungen der Menschen in diesem Leben zu überschauen, um die beste auszuwählen. Ohne hier die anderen herabzusetzen, glaubte ich doch zuletzt am besten zu tun, wenn ich die meinige fortsetzte, d. h. wenn ich mein ganzes Leben zur Ausbildung meiner Vernunft und zum Fortschritt in der Kenntnis der Wahrheit nach der mir vorgesetzten Methode verwendete. Ich empfand, seitdem ich dieser Methode mich zu bedienen angefangen hatte, eine so große Heiterkeit, dass es nach meiner Meinung nichts Angenehmeres und Unschuldigeres in diesem Leben geben konnte; jeden Tag entdeckte ich durch ihre Hilfe wichtige und den übrigen Menschen meist unbekannte Wahrhei-
40 ten, und die Freude darüber erfüllte meine Seele so, dass alles andere mich nicht berührte.

Außerdem lag den drei vorgehenden Regeln nur die Absicht, meine Kenntnisse zu erweitern, zugrunde. Denn da Gott jedem von uns eine Kraft zur Unterscheidung des Wahren von dem Falschen gegeben hat, so würde ich mich nicht einen Augenblick auf die Meinungen anderer verlassen haben, wenn ich mir nicht vorgenommen gehabt hätte, sie selbst zu passender Zeit zu untersuchen, und ich würde mich der Gewissenszweifel in ihrer Befolgung nicht haben entschlagen können, wenn ich nicht jede Gelegenheit wahrgenommen hätte, um bessere ausfindig zu machen. Endlich hätte ich meine Wünsche nicht beschränken und zufrieden bleiben können, wenn ich nicht einen Weg gegangen wäre, der mich der Erwerbung aller nur möglichen Kenntnisse versicherte und damit auch aller wahren Güter, die in meiner Macht standen. Denn wenn unser Wille nur das begehrt und vollzieht, was der Verstand ihm als gut lehrt, so genügt das rechte Urteil zu dem rechten Handeln und so gut als möglich zu urteilen, um sein Bestes zu tun, d. h. um alle Tugenden zusammen mit den anderen erreichbaren Gütern zu erlangen. Ist man davon überzeugt, so wird die Zufrie-
41 denheit nicht fehlen.

Nachdem ich so diese Regeln für gut befunden und zu jenen Wahrheiten des Glaubens gestellt hatte, die mir als die wichtigsten gegolten haben, glaubte ich mich unbedenklich aller übrigen Überzeugungen entschlagen zu können. Auch hoffte ich im Verkehr mit den Menschen besser mein Ziel zu erreichen, als wenn ich in der Stube, wo ich dies bedacht hatte, noch länger mich einschlösse. Ich begab mich deshalb noch vor Ende des Winters wieder auf die Reise und wanderte die folgenden neun Jahre in der Welt umher, wobei ich indes nur Zuschauer, aber nicht Mitspieler in den hier aufgeführten Komödien zu bleiben suchte. Ich untersuchte bei jeder Sache ihre verdächtige Seite und den Anlass zu Missverständnissen, und entwurzelte so in meinem Geiste alle Irrtümer, die sich früher in ihn eingeschlichen hatten. Ich wollte damit nicht etwa den Skeptikern nachahmen, welche nur zweifeln, um zu zweifeln, und eine stete Unentschlossenheit vorspiegeln; vielmehr ging mein Streben nur auf die Gewissheit, und ich verwarf den Triebsand und den unsicheren Boden nur, um den Felsen oder Schiefer zu erreichen. Dies gelang mir, glaube ich, umso besser, als ich die Unwahrheit oder Ungewissheit der zu prüfenden Sätze 42 nicht nach schwachen Vermutungen, sondern nach klaren und festen Gründen prüfte und so zuletzt selbst aus dem Zweifelhaftesten einen sicheren Schluss zu ziehen vermochte, sollte es auch nur der sein, dass es keine Gewissheit enthielte. So wie man bei dem Abbruch eines alten Hauses die Materialien sammelt, um sie bei dem Aufbau des neuen zu benutzen, so machte ich auch bei der Niederreißung aller meiner schlecht begründeten Überzeugungen mancherlei Beobachtungen und Erfahrungen, die mir später zur Aufrichtung sicherer Ansichten gedient haben. Umso mehr fuhr ich in der Übung der mir vorgesetzten Methode fort. Ich sorgte dafür, meine Gedanken überhaupt nur nach Regeln zu leiten; aber daneben benutzte ich von Zeit zu Zeit einige freie Stunden, um die Methode in schwierigen mathematischen Fragen zu üben, sowie in solchen, die ich den mathematischen dadurch ähnlich machte, dass ich sie von allen nicht gleich gewissen Zusätzen der übrigen Wissenschaften loslöste. Man wird dies an mehreren in diesem Buche dargelegten Sätzen bemerken können. So lebte ich scheinbar wie die Übrigen, die ohne anderes Ziel, als ein angenehmes und friedliches Leben zu führen, sich bestreben, die Vergnügen von den Lastern zu trennen, und die, um ihre Muße ohne Langeweile zu genießen, sich allen anständigen Zerstreuungen hingeben. Aber dabei ließ ich in Verfolgung meines Zieles nicht ab und machte in der Kenntnis der Wahrheit vielleicht größere Fortschritte, als wenn ich nur Bücher gelesen oder mit Gelehrten verkehrt hätte.

Jedenfalls verflossen diese neun Jahre, ohne dass ich schon Partei in den schwierigen Fragen ergriffen gehabt hätte, welche unter den Gelehrten verhandelt zu werden pflegen, und ohne dass ich nach den Grundlagen einer zuverlässigeren Philosophie als der gewöhnlichen gesucht hätte. Das Beispiel ausgezeichneter Männer, die bei gleicher 43 Absicht mir dieses Ziel doch nicht erreicht zu haben schienen, ließ mir das Unternehmen so schwer erscheinen, dass ich es vielleicht so bald nicht begonnen hätte, wenn nicht schon das Gerücht verbreitet worden wäre, dass ich das Ziel erreicht habe. Ich weiß nicht, worauf diese Meinung sich stützte; wenn ich durch meine Reden etwas dazu beigetragen, so kann es nur darin bestanden haben, dass ich offener meine Unwissenheit bekannte als andere, die studiert haben, und dass ich die Gründe für meinen Zweifel an Dingen blicken ließ, die andere für gewiss halten; aber nie habe ich mich einer Wissenschaft gerühmt. Meine Gutmütigkeit wollte es indes nicht, dass man mich für mehr hielt, als ich war; deshalb fand ich es nötig, mich meines Rufes würdig zu zeigen, und so sind es gerade acht Jahre, dass ich in dieser Absicht mich von allen Bekannten weg in ein Land zurückzog, wo lange Kriege es dahin gebracht haben, dass die Heere, welche man unterhält, nur den Zweck haben, die Früchte des Friedens mit größerer Sicherheit genießen zu lassen, und wo das Volk in seiner Tätigkeit mehr um seine eigenen Angelegenheiten sich sorgt, als um fremde sich bekümmert. So kann ich hier, ohne die Bequemlichkeiten der großen Stadt zu entbehren, doch so einsam und zurückgezogen leben wie in der 44 abgelegensten Wüste.

Vierter Abschnitt

Ich weiß nicht, ob ich den Leser mit den Untersuchungen unterhalten soll, die ich da zuerst angestellt habe. Sie sind so metaphysisch und ungewöhnlich, dass sie nicht dem Geschmack von jedermann zusagen werden. Dennoch finde ich mich gewissermaßen genötigt, davon zu sprechen, damit man die Festigkeit der von mir genommenen Grundlagen beurteilen könne. In Bezug auf Sitten hatte ich längst bemerkt, wie man mitunter zweifelhaften Ansichten so folgen muss, als wären sie unzweifelhaft; allein da ich mich damals nur der Erforschung der Wahrheit gewidmet hatte, so schien mir hier das entgegengesetzte Verhalten geboten, nämlich alles als entschieden falsch zu verwerfen, wobei ich den leisesten Zweifel fand, um zu sehen, ob nicht zuletzt in meinem Fürwahrhalten etwas ganz Unzweifelhaftes übrig bleiben werde. Deshalb nahm ich, weil die Sinne uns manchmal täuschen, an, dass es nichts gebe, was so beschaffen wäre, wie sie es uns bieten, und da in den Beweisen, selbst bei den einfachsten Sätzen der Geometrie, oft Fehlgriffe begangen und falsche Schlüsse gezogen werden, so hielt ich mich auch hierin nicht für untrüglich und verwarf alle Gründe, die ich früher für zureichend angesehen hatte. Endlich bemerkte ich, dass dieselben Gedanken wie im Wachen auch im Traum uns kommen können, ohne dass es einen Grund für ihre Wahrheit im ersten Falle gibt; deshalb bildete ich mir absichtlich ein, dass alles, was meinem Geiste je begegnet, nicht mehr wahr sei als die Täuschungen der Träume. Aber hierbei bemerkte ich bald, dass, während ich alles für falsch behaupten wollte, doch notwendig ich selbst, der dies dachte, etwas sein müsse, und ich fand, dass die Wahrheit: *»Ich denke, also bin ich«*, so fest und so gesichert sei, dass die übertriebensten Annahmen der Skeptiker sie nicht erschüttern können. So glaubte ich diesen Satz ohne Bedenken für den ersten Grundsatz der von mir gesuchten Philosophie annehmen zu können. 45

Ich forschte nun, *wer* ich sei. Ich fand, dass ich mir einbilden konnte, keinen Körper zu haben, und dass es keine Welt und keinen Ort gäbe, wo ich wäre; aber nicht, dass ich selbst nicht bestände; vielmehr ergab sich selbst aus meinen Zweifeln an den anderen Dingen offenbar, dass ich selbst sein müsste; während, wenn ich aufgehört hätte zu denken, alles andere, was ich sonst für wahr gehalten hatte, mir keinen Grund für die Annahme meines Daseins abgab. Hieraus erkannte ich, dass ich eine Substanz war, deren ganze Natur oder Wesen nur im Denken besteht, und die zu ihrem Bestand weder eines Ortes noch einer körperlichen Sache bedarf; in der Weise, dass dieses *Ich*, d. h. die Seele, durch die ich das bin, was ich bin, vom Körper ganz verschieden und selbst leichter als dieser zu erkennen ist; ja selbst wenn dieser nicht wäre, würde die Seele nicht aufhören, das zu sein, was sie ist. 46

Demnächst untersuchte ich, was im Allgemeinen zur Wahrheit und Gewissheit eines Satzes nötig sei; denn nachdem ich einen solchen eben gefunden hatte, so müsste ich nunmehr auch wissen, worin diese Gewissheit besteht. Ich bemerkte, dass in dem Satz: »*Ich denke, also bin ich*«, nichts enthalten ist, was mich seiner Wahrheit versicherte, außer dass ich klar einsah, dass, um zu denken, man sein muss. Ich nahm davon als allgemeine Regel ab, dass alle von uns ganz klar und deutlich eingesehenen Dinge wahr sind, und dass die Schwierigkeit nur darin besteht, die zu erkennen, welche wir deutlich einsehen.

Demnächst schloss ich aus meinem Zweifeln, dass mein Wesen nicht ganz vollkommen sei. Denn ich erkannte deutlich, dass das Erkennen eine größere Vollkommenheit als das Zweifeln enthält. Ich forschte deshalb, woher ich den Gedanken eines vollkommeneren Gegenstandes, als ich selbst war, empfangen habe, und erkannte, dass dieses von einer wirklich vollkommeneren Natur gekommen sein müsse. Die Vorstellungen anderer Dinge außer mir, wie die des Himmels, der Erde, des Lichts, der Wärme und tausend anderer, machten mir in Bezug auf ihren Ursprung weniger Mühe. Denn ich fand nichts in ihnen, was sie höher als mich gestellt hätte, und sie konnten daher, wenn sie wahr waren, Akzidenzen meiner Natur sein, soweit diese eine Vollkommenheit enthielt; und waren sie es nicht, so hatte ich sie von dem Nichts, d. h. sie waren in mir, weil mir etwas mangelte. Aber dies konnte nicht in gleicher Weise für die Vorstellung eines vollkommeneren Wesens als ich gelten; denn es war offenbar unmöglich, dass ich dessen Vorstellung von Nichts haben könnte, und da es ein Widerspruch ist, dass ein Vollkommeneres die Wirkung oder das Akzidenz eines weniger Vollkommenen sei, weil darin läge, 47 dass etwas aus nichts würde, so konnte ich diese Vorstellung auch nicht von mir selbst haben. So blieb nur übrig, dass sie mir von einer Natur eingeflößt war, die wirklich vollkommener als ich war, und die alle jene Vollkommenheiten in sich enthielt, die ich vorstellte, d. h. mit einem Wort, die Gott war. Ich fügte dem hinzu, dass, weil ich einige Vollkommenheiten kannte, die ich nicht hatte, ich nicht das einzige daseiende Wesen sei (ich will mich hier mit Erlaubnis des Lesers der Schulausdrücke bedienen), sondern dass es notwendig noch ein vollkommeneres gebe, von dem ich abhänge, und dem ich alles, was ich hatte, verdankte. Denn wäre ich allein und ganz unabhängig gewesen, sodass ich alles, was ich von dem höchsten Wesen vorstellte, von mir selbst gehabt hätte, so würde ich auch aus demselben Grunde alles jenes Mehrere haben können, von dem ich wusste, dass es mir fehlte, und ich hätte so selbst unendlich ewig, unveränderlich, allwissend, allmächtig sein und alle jene Vollkommenheiten haben können, die ich in Gott vorstellte. Denn nach der hier angewandten Beweisführung habe ich, um die Natur Gottes so weit zu erkennen, als es die meinige gestattet, bei allen Dingen, deren Vorstellung sich in mir findet, nur zu fragen, ob es eine Vollkommenheit einschließt, sie zu besitzen oder nicht. Ich war sicher, dass keine von denen, die eine Unvollkommenheit anzeigten, in Gott enthalten seien, wohl aber alle anderen. So sah ich, dass der Zweifel, die Unbeständigkeit, die Traurigkeit und Ähnliches nicht in ihm sein konnten, da ich selbst froh gewesen sein würde, wenn ich davon frei gewesen wäre. 48

Ich hatte ferner außerdem Vorstellungen von sinnlichen und körperlichen Dingen. Denn wenn ich auch annahm, dass ich träumte, und dass alles, was ich sah oder vorstellte, falsch sei, so konnte ich doch keinesfalls leugnen, dass die Vorstellungen davon sich in meinem Denken befanden. Da ich nun schon deutlich in mir erkannt hatte, dass die denkende Natur von der körperlichen unterschieden war, so schloss ich in Betracht, dass alle Zusammensetzung Abhängigkeit beweist, und die Abhängigkeit offenbar ein Mangel ist, dass es keine Vollkommenheit in Gott sein könne, aus zwei solchen Naturen zu bestehen, und dass folglich dieses bei ihm nicht der Fall sei, sondern dass, wenn es gewisse Körper oder gewisse Geister oder andere Naturen in der Welt gäbe, die nicht ganz vollkommen wären, ihr Wesen von seiner Macht in der Weise abhängen müsse, dass sie keinen Augenblick ohne seine Hilfe bestehen können.

Ich wollte nun noch mehr Wahrheiten aufsuchen und nahm den Gegenstand der Geometer in Erwägung. Ich fasste ihn als einen stetigen Körper auf, oder als einen in Länge, Breite und Tiefe ohne Ende ausgedehnten Raum, der in verschiedene Teile getrennt werden kann, verschiedene Gestalten und Größen hat und in jeder Weise bewegt und fortgebracht wird, wie die Geometer dies alles von ihrem Gegenstand annehmen. Ich betrachtete nun einen ihrer einfachsten Beweise und bemerkte, dass die große Gewissheit, welche alle Welt ihnen zuteilt, nur darauf beruht, dass man sie nach der eben angegebenen Regel klar begreift; aber ich bemerkte auch, dass nichts in ihnen mich von dem Dasein ihres Gegenstandes versicherte.

So sah ich wohl ein, dass bei Annahme eines Dreiecks seine drei Winkel zwei rechten gleich sein mussten; aber nichts überzeugte mich von dem Dasein eines solchen Dreiecks, während ich bei der Vorstellung, die ich von einem vollkommenen Wesen hatte, fand, dass das 49 Dasein mit ihr ebenso verknüpft war, wie bei der Vorstellung des Dreiecks die Gleichheit seiner drei Winkel mit zwei rechten, oder bei der Vorstellung eines Kreises der gleiche Abstand aller Teile seines Umrings von seinem Mittelpunkt; ja die Verknüpfung war noch offenbarer. Folglich ist es mindestens ebenso gewiss, wie irgendein geometrischer Beweis es nur sein kann, dass Gott als dieses vollkommene Wesen ist oder besteht.

Wenn manche meinen, dass es schwer sei, Gott zu erkennen, und auch schwer, ihre Seele zu erkennen, so kommt es davon, dass sie ihren Geist nie über die sinnlichen Dinge erheben, und dass sie so an dieses bildliche Vorstellen gewöhnt sind, was eine besondere Art des Denkens für die körperlichen Dinge ist, dass sie alles, was sie nicht bildlich vorstellen können, auch nicht für begreiflich halten. Dies ist die Folge davon, dass selbst die Philosophen in den Schulen als Grundsatz lehren, es gebe in dem Verstande nichts, was nicht zuvor in den Sinnen gewesen sei. Nun ist es aber jedenfalls gewiss, dass die Vorstellungen von Gott und von der Seele niemals in den Sinnen gewesen sind, und es scheint mir, dass die, welche sie mit ihrer Einbildungskraft begreifen wollen, denen gleichen, welche mit den Augen die Töne hören oder die Gerüche riechen wollen, wobei noch der Unterschied ist, dass der Gesichtssinn uns der Wahrheit seiner Gegenstände ebenso versichert, wie der Geruch und das Gehör; während unser bildliches Vorstellen 50 und unsere Sinne uns nie Gewissheit von etwas gewähren können, wenn nicht unser Verstand hinzukommt.

Sollte es endlich noch Menschen geben, die durch die von mir beigebrachten Gründe von dem Dasein Gottes und ihrer Seele noch nicht überzeugt wären, so mögen diese bedenken, dass alles andere, was sie für gewisser halten, z. B. dass sie einen Körper haben, dass es Gestirne, eine Erde und Ähnliches gibt, weniger gewiss ist. Denn wenn man auch eine moralische Gewissheit von diesen Dingen hat, derart, dass man an ihnen, ohne verkehrt zu sein, nicht zweifeln kann, so kann man doch auf jeden Fall, wenn man nicht unvernünftig sein will, und wenn es sich um die metaphysische Gewissheit handelt, nicht leugnen, dass jene Gewissheit nicht höher steht als die, welche im

Traume besteht, wo man sich ebenso vorstellt, einen anderen Körper zu haben und andere Gestirne und eine andere Erde zu sehen, ohne dass doch etwas der Art besteht. Denn woher weiß man, dass die Vorstellungen im Traume nicht so wahr wie die anderen sind, da sie doch oft ebenso lebhaft und deutlich sind? Mögen die besten Köpfe darüber nachdenken, so lange sie wollen, sie werden nie einen genügenden Grund für Beseitigung dieses Zweifels beibringen können, wenn sie nicht zuvor das Dasein Gottes annehmen. Denn selbst jene von mir gesetzte Regel, dass alles, was ich klar und deutlich erkenne, wahr sei, ist nur zuverlässig, weil Gott ist oder besteht, und weil er ein vollkommenes Wesen ist, und weil alles in uns von ihm kommt; hieraus folgt, dass unsere Vorstellungen oder Begriffe als wirkliche Dinge, die, soweit sie klar und deutlich sind, von Gott kommen, wahr sein müssen. Wenn wir also auch falsche Vorstellungen haben, so können es nur die verworrenen und dunklen sein; denn insoweit nehmen sie an dem Nichts teil, d. h. sie sind nur deshalb in uns verworren, weil wir nicht ganz vollkommen sind. Auch ist es offenbar ebenso widersinnig, zu behaupten, dass die Unwahrheit oder Unvollkommenheit von Gott komme, als dass die Wahrheit und Vollkommenheit von nichts komme. Wüssten wir aber nicht, dass alles Wirkliche und Wahre in uns von einem vollkommenen und unendlichen Wesen kommt, so würden wir trotz der Klarheit und Deutlichkeit unserer Vorstellungen keine Gewissheit dafür haben, dass sie die Vollkommenheit hätten, wahr zu sein.

Nachdem so die Erkenntnis Gottes und unserer Seele uns von diesem Grundsatz überzeugt hat, so ergibt sich leicht, dass die Vorstellungen in unseren Träumen uns nicht zweifelhaft über die Wahrheit unserer Vorstellungen im Wachen machen können. Denn wenn es sich selbst träfe, dass man eine sehr bestimmte Vorstellung im Traume hätte, z. B. dass ein Geometer einen neuen Beweis entdeckte, so würde sein Träumen der Wahrheit nicht entgegenstehen; was aber den gewöhnlichen Irrtum unserer Träume anlangt, dass sie uns die Gegenstände ebenso vorstellen wie die äußeren Sinne, so schadet es nichts, wenn dies uns gegen die Wahrheit solcher Vorstellungen misstrauisch macht, da sie auch im Wachen uns oft täuschen können. So sehen die Gelbsüchtigen alles in gelben Farben, und so erscheinen die Gestirne oder andere ferne Körper uns viel kleiner, als sie sind. Denn zuletzt darf man, mag man wachen oder träumen, sein Fürwahrhalten nur auf das Zeugnis der Vernunft stützen und nicht auf das der Einbildung oder der Sinne. Denn so deutlich man auch die Sonne sieht, so darf man doch ihre Größe nicht so nehmen, wie man sie sieht, und wir können uns sehr deutlich einen Löwenkopf auf einem Ziegenkörper vorstellen, ohne dass daraus folgt, es gebe wirklich eine Chimäre. Die Vernunft sagt uns nicht, dass das so Gesehene oder Vorgestellte wahr sei; aber sie sagt, dass alle unsere Vorstellungen und Begriffe ihren Grund in etwas Wahrem haben. Denn es ist unmöglich, dass Gott, als ein ganz vollkommenes und wahrhaftes Wesen, sie ohnedem in uns gelegt hätte. Da nun unsere Begründungen im Traume nie so vollständig und überzeugend sind als im Wachen, obgleich einzelne Vorstellungen dort gleich lebhaft und deutlich sind, so sagt die Vernunft uns auch, dass unsere Gedanken nicht ganz wahr sein können, weil wir nicht ganz vollkommen sind, und dass das, was sie Wahres enthalten, sich offenbar mehr in denen befindet, die wir im Wachen und nicht im Träumen haben.

Fünfter Abschnitt

Gern verfolgte und zeigte ich hier die ganze Kette der übrigen Wahrheiten, die ich aus diesen ersten abgeleitet habe. Ich müsste indes dabei manche unter den Gelehrten bestrittenen Fragen behandeln, und da ich mich mit diesen nicht überwerfen mag, so unterlasse ich es lieber und erwähne ihrer nur im Allgemeinen; Weisere mögen dann entscheiden, ob es nützlich sei, das einzelne dem Publikum vorzulegen. Ich habe immer fest an dem Satz gehalten, kein anderes Prinzip anzunehmen, als das, was ich soeben zum Beweis von dem Dasein Gottes und der Seele benutzt habe, und nichts für wahr zu halten, was mir nicht noch klarer und deutlicher war, als es früher die geometrischen Beweise gewesen waren. Dennoch habe ich zufriedenstellende Ergebnisse über die wichtigsten und schwierigen Fragen gewonnen, die man gewöhnlich in der Philosophie behandelt, und ich habe Gesetze gefunden, die Gott so in die Natur gelegt hat, und deren Vorstellung er so unserer Seele eingeprägt hat, dass sie selbst nach der sorgfältigsten Erwägung als solche angesehen werden müssen, welche für alles in der Welt gelten. Durch die Betrachtung dieser Reihe von Gesetzen glaube ich einige

Wahrheiten entdeckt zu haben, die nützlicher und wichtiger sind als die, welche ich vorher gehört oder zu hören gehofft hatte.

Da ich die wichtigsten davon in einer Abhandlung entwickeln will, die zu veröffentlichen ich jetzt noch behindert bin, so kann ich sie hier nicht besser mitteilen, als wenn ich den Hauptinhalt dieser Abhandlung hier angebe. Ich hatte anfänglich die Absicht, alles darin aufzunehmen, was ich über die Natur der körperlichen Dinge wusste. Aber schon die Maler wählen, weil sie auf der Fläche nicht alle verschiedenen Ansichten eines Körpers gleich gut darstellen können, eine hervorstechende, die sie allein in das Licht stellen; das andere lassen sie dunkler und nur so weit, wie es bei dem Sehen in der Wirklichkeit geschieht, hervortreten. So fürchtete auch ich, dass ich in meine Abhandlung nicht alles, was ich im Kopfe hatte, würde aufnehmen können, und setzte deshalb ausführlicher nur meine Gedanken über das Licht auseinander und fügte dann etwas über die Sonne und die Fixsterne hinzu, von denen das Licht beinahe allein ausgeht; ferner von dem Himmel, der es uns sendet; von den Planeten, den Kometen und der Erde, weil sie das Licht zurückwerfen, und von den auf der Erde befindlichen Körpern, soweit sie farbig oder durchsichtig oder leuchtend sind, und endlich behandelte ich den Menschen, weil er der Sehende ist. Um indes über alles dies einen leichten Schatten fallen zu lassen, und um meine Ansichten freier aussprechen zu können, ohne den unter den Gelehrten herrschenden Meinungen nachgehen oder sie widerlegen zu müssen, beschloss ich, diese irdische Welt hier ihnen ganz zu ihren Streitigkeiten zu überlassen und nur das zu besprechen, was in einer ganz neuen geschehen würde, wenn Gott an einem Ort in dem Weltraume genügenden Stoff zu ihrer Gestaltung erschüfe, und wenn er den verschiedenen Teilen dieses Stoffes mancherlei Bewegungen gäbe, infolge deren ein verworrenes Chaos sich bildete, wie es die Dichter nur erdenken können. Nachher möchte Gott dieser Natur nur seinen gewöhnlichen Beistand leisten und sie nach den ihr gegebenen Gesetzen sich entwickeln lassen. So beschrieb ich zuerst diesen Stoff und suchte ihn als das Klarste und Deutlichste in der Welt darzustellen, mit Ausnahme dessen, was über Gott und die Seele oben gesagt worden ist. Ich nahm sogar ausdrücklich an, dass dieser Stoff keine von den Eigenschaften und Gestalten hätte, über die man in den Schulen streitet, und überhaupt nichts, was nicht so natürlich wäre, dass dessen Kenntnis sich von selbst verstände. Ferner zeigte

54

ich die Gesetze der Natur auf, und, ohne mich auf ein anderes Prinzip, als auf die unendliche Vollkommenheit Gottes zu stützen, suchte ich von da aus alles irgend Zweifelhafte festzustellen und zu zeigen, dass selbst, wenn Gott mehrere Welten geschaffen hätte, diese Gesetze dennoch in jeder gelten würden. Dann zeigte ich, wie der größte Teil des Stoffes in diesem Chaos sich infolge dieser Gesetze zueinander stellen und in einer Weise ordnen würde, die unserem Himmel gliche, wie ein Teil dieses Stoffes die Erde bilden müsse, ein anderer die Planeten und Kometen und ein anderer die Sonne und die Fixsterne. Nachdem ich hier zu meinem Gegenstande, dem Licht, gelangt war, entwickelte ich möglichst ausführlich, was die Sonne und die Sterne davon enthalten, wie es von dort in einem Augenblick die ungeheuren Räume des Himmels durchdringt, und wie es, von den Planeten und Kometen zurückgeworfen, die Erde erreicht. Ich fügte hier auch einiges über die Substanz, die Lage, die Bewegung und andere Eigenschaften des Himmels und der Gestirne bei, um zu zeigen, wie nichts in der
55 irdischen Welt besteht, was nicht dem in der von mir beschriebenen Welt gleichen müsste oder könnte.

Von da kam ich auf die Erde insbesondere zu sprechen und zeigte, wie selbst ohne die Annahme, dass Gott in den Stoff, aus dem sie besteht, die Schwere gelegt habe, doch alle ihre Teile genau nach dem Mittelpunkt strebten; wie bei dem Dasein von Wasser und Luft auf ihrer Oberfläche die Stellung des Himmels und der Gestirne, insbesondere des Mondes, eine Ebbe und Flut darin, wie die in unseren Meeren beobachtete, und außerdem einen Strom im Wasser und in der Luft von Morgen nach Abend verursachen müsse, wie man ihn innerhalb der Wendekreise bemerkt. Ich zeigte, wie die Gebirge, die Meere, die Quellen und die Ströme natürlich entstehen, wie die Metalle in die Gesteine kommen, wie die Pflanzen auf den Feldern wachsen und überhaupt alle gemischten oder zusammengesetzten Körper sich auf ihr erzeugen. Da neben den Gestirnen ich nur das Feuer als eine Ursache des Lichtes kenne, so bemühte ich mich, alles zur Natur des Feuers Gehörige möglichst verständlich zu machen; insbesondere darzulegen, wovon es entstellt, wie es sich ernährt, wie es manchmal nur Wärme ohne Licht und manchmal nur Licht ohne Wärme besitzt; wie es in dem Körper verschiedene Farben und andere Eigenschaften hervorbringen kann; wie es das eine schmilzt und das andere verhärtet; wie es beinahe alles verzehren oder in Asche und Rauch verwandeln kann, und wie es aus dieser Asche durch seine Kraft allein das Glas bildet. Diese Umwandlung der Asche in Glas schien mir zu den wunderbarsten Vorgängen der Natur zu gehören, und ich fand besondere Freude an ihrer Beschreibung. 56

Allein mit alledem wollte ich nicht darlegen, dass die Welt in der von mir angegebenen Weise wirklich erschaffen worden sei; vielmehr ist es wahrscheinlicher, dass Gott sie gleich mit *einem* Male so gemacht hat, wie sie sein soll. Indes ist es gewiss und unter den Theologen allgemein anerkannt, dass die Tätigkeit, durch welche Gott die Welt erhält, dieselbe ist wie die, durch die er sie geschaffen hat. Wenn er ihr also auch im Anfange nur die Form eines Chaos gegeben und nach Feststellung der Naturgesetze ihr nur seinen Bestand zur Entwicklung wie bisher gegeben hätte, so würden doch, ohne damit dem Wunder der Schöpfung zu nahe zu treten, dadurch allein alle rein körperlichen Dinge mit der Zeit sich so haben entwickeln können, wie man sie jetzt sieht, und ihre Natur wird viel verständlicher, wenn man sie in dieser Weise entstehen sieht, als wenn man sie nur als fertige betrachtet.

Von dieser Beschreibung der leblosen Körper und Pflanzen ging ich zu den Tieren, insbesondere zum Menschen über. Da meine Kenntnisse hier aber nicht hinreichten, um in der bisherigen Weise darüber sprechen zu können, d. h. um die Wirkungen aus den Ursachen abzuleiten, und aus welchen Samen die Natur sie hervorbringt, so begnügte ich mich mit der Annahme, dass Gott den menschlichen Körper in seiner äußeren Gestalt, wie in der Bildung seiner inneren Organe ganz dem unsrigen ähnlich aus dem von mir beschriebenen Stoffe geschaffen habe, und dass er anfänglich keine vernünftige Seele noch sonst etwas von einer lebenden und empfindenden Seele in ihn gelegt, sondern in seinem Herzen nur eines von den Feuern ohne 57 Licht entzündet habe, das ich eben erwähnt habe, und das ich mir von gleicher Art vorstellte, wie es bei der Erhitzung des Heues sich zeigt, sobald dieses feucht zusammengepackt wird, oder bei der Erhitzung des jungen Weines, wenn man ihn mit den Schalen gären lässt. Denn bei Prüfung der daraus in dem Körper hervorgehenden Verrichtungen fand ich genau dieselben wie bei uns, ohne dass wir daran denken, und ohne dass unsere Seele, als der von dem Körper unterschiedene Teil, dessen Natur nach dem Obigen nur in dem Denken besteht, etwas dazu beiträgt. Diese Verrichtungen sind deshalb die, welche wir mit den unvernünftigen Tieren gemein haben; allein sie enthalten nichts von den Vorzügen, welche von dem Denken abhängen und uns allein, als Menschen, angehören. Dagegen fand ich auch diese letzteren darin, nachdem ich angenommen, dass Gott eine vernünftige Seele geschaffen und sie mit dem Körper in der angegebenen Weise verbunden hatte.

Damit man sehen kann, wie ich diesen Gegenstand behandelt habe, will ich hier die Erklärung von der Bewegung des Herzens und der Arterien geben. Da diese Bewegung die erste und allgemeinste ist, die man bei den Tieren bemerkt, so kann man daraus leicht das Nötige für die übrigen Bewegungen abnehmen; um das Folgende besser zu verstehen, wird es gut sein, wenn die, welche mit der Anatomie nicht vertraut sind, sich vorher das Herz eines großen Tieres mit Lungen, welches dem menschlichen ganz ähnlich ist, aufschneiden und sich die beiden Kammern oder Höhlen desselben zeigen lassen; zuerst die auf der rechten Seite, welche mit zwei sehr starken Röhren oder Adern in Verbindung steht, d. h. mit der Hohlvene, der Hauptempfängerin des Blutes und gleichsam des Stammes des Baumes, von dem die übrigen Venen des Körpers Zweige vorstellen, und mit der Arterienvene, welche diesen schlechten Namen erhalten hat, weil sie wirklich eine Arterie ist, die vom Herzen ausgeht und sich dann in mehrere Zweige teilt, die sich in den Lungen verbreiten. Alsdann mögen sie sich die Kammer auf der linken Seite öffnen lassen, mit der ebenfalls zwei Röhren verbunden sind, ebenso groß oder noch größer als die vorigen, nämlich die Venenarterie, – auch ein schlechter Name, da sie nur eine Vene ist, die von den Lungen kommt, wo sie sich in mehrere Zweige teilt und mit den Venen der Arterienvene und mit den Verzweigungen der Luftröhre sich verbindet, durch welche die eingeatmete Luft eintritt, – und die große Arterie, welche von dem Herzen aus ihre Zweige durch den ganzen Körper verteilt. Ich möchte auch, dass die Leser sich elf kleine Häute zeigen ließen, die wie ebenso viele kleine Türen die vier Löcher dieser zwei Höhlen öffnen und schließen. Drei davon sind bei dem Eintritt der Hohlvene so gestellt, dass sie den Abfluss des in derselben enthaltenen Blutes in die rechte Herzkammer nicht hindern, aber seinen Rücktritt hemmen; drei andere befinden sich am Eintritt der Arterienvene, welche, umgekehrt gestellt, das Blut zwar in die Lungen abfließen, aber das Lungenblut nicht zurückkehren lassen. Ebenso lassen am Eintritt der Venenarterie zwei andere Häute

58

das Blut aus der Lunge in die linke Herzkammer eintreten, aber stellen sich seinem Rücklauf entgegen, und drei am Eintritt der großen Arterie lassen das Blut aus dem Herzen aus-, aber nicht wieder eintreten. Der Grund für diese Zahl der Häute ist, dass die Öffnung der Venenarterie an der betreffenden Stelle oval ist und daher mit zwei Häuten genügend verschlossen werden kann, während die übrigen, welche rund sind, dazu dreier bedürfen. Die Leser mögen sich außerdem zeigen lassen, wie die große Arterie und die Arterienvene von viel festerem und härterem Stoffe sind als die Venenarterie und die Hohlvene, und dass die letzteren vor ihrem Eintritt in das Herz sich ausweiten und zwei Beutel, die sogenannten Herzohren, bilden, die im Fleische dem Herzen ähnlich sind, und dass es im Herzen immer wärmer als an den andern Stellen des Körpers ist, und dass diese Wärme, wenn ein Blutstropfen in die Höhlen tritt, letztere schnell aufbläht und erweitert, wie es bei allen Flüssigkeiten geschieht, die man tropfenweise in ein sehr heißes Gefäß fallen lässt.

Mit Rücksicht hierauf brauche ich zur Erklärung der Herzbewegung nur zu sagen, dass, wenn seine Höhlen leer vom Blute sind, solches aus der Hohlvene in die rechte und aus der Venenarterie in die linke Kammer eintritt, da diese Adern immer davon angefüllt sind, und ihre nach dem Herzen zu mündenden Öffnungen es davon nicht abschließen können. Sobald aber ein Blutstropfen in jede dieser Höhlen eingetreten ist, welche Tropfen bei der Größe der Öffnungen und bei der Anfüllung der Gefäße von Blut sehr groß sein müssen, verdünnt es sich und dehnt sich wegen der darin herrschenden Hitze aus. Damit dehnt sich das ganze Herz aus, und es schließen sich die fünf kleinen Türen am Eingange der beiden Adern, aus denen sie gekommen sind, und hemmen so den weiteren Eintritt von Blut in das Herz. Indem jene Blutstropfen in ihrer Verdünnung fortfahren, drücken und öffnen sie die sechs anderen kleinen Türen am Eingange der Adern, treten durch diese heraus und blähen dadurch alle Verzweigungen der Arterienvene und der großen Arterie beinahe gleichzeitig mit dem Herzen auf. Dies sinkt gleich darauf, wie auch die Arterien, wieder zusammen, weil das eingetretene Blut sich abkühlt; ihre sechs kleinen Türen schließen sich, und die fünf der Hohlvenen und Venenarterie öffnen sich wieder und lassen wieder zwei neue Blutstropfen hindurch, die sofort wieder das Herz und die Arterien aufblähen, wie das erste Mal. Weil das Blut vor seinem Eintritt in das Herz die beiden Beutel, welche

59

man seine Ohren nennt, durchläuft, so ist dadurch die Bewegung des Herzens der ihrigen entgegengesetzt; sie sinken zusammen, während jenes sich ausdehnt. – Damit endlich *die*, welche die Stärke mathematischer Beweise nicht kennen und nicht gewohnt sind, die wahren Gründe von den scheinbaren zu unterscheiden, nicht voreilig diese Angaben ohne Prüfung bestreiten, so bemerke ich, dass diese dargelegte Bewegung notwendig aus der bloßen Stellung der Organe folgt, die man am Herzen mit den Augen sehen kann, und von der Hitze, die man mit den Fingern fühlen kann, sowie aus der Natur des Blutes, das man durch Versuche feststellen kann, und zwar folgt das alles so genau, wie die Bewegung in einer Uhr aus der Kraft, der Stellung und Gestalt ihrer Gewichte und Räder.

Fragt man aber, weshalb das Venenblut sich nicht erschöpfe, da es 60 doch ununterbrochen in das Herz fließe, und weshalb die Arterien nicht davon überfüllt werden, weil alles Blut aus dem Herzen in sie abfließt, so bedarf es nur der Antwort, die schon ein englischer Arzt gegeben hat, der in rühmlicher Weise das Eis hier gebrochen und zuerst gelehrt hat, dass es am Ende der Arterien kleine Gänge gibt, durch welche das von dem Herzen empfangene Blut in die kleinen Zweige der Venen übertritt, von wo es sich sofort wieder nach dem Herzen wendet, sodass die Blutbewegung ein fortwährender Kreislauf ist. Er zeigt dies deutlich an den gewöhnlichen Operationen der Wundärzte, die durch ein Umbinden des Armes oberhalb des Ortes, wo sie in die Vene einschlagen, das Blut stärker fließen machen, als wenn dieses Umbinden nicht geschieht; geschähe es aber unterhalb nach der Hand zu, so würde das Gegenteil eintreten, wenn sie nicht zugleich den Arm darüber sehr stark einschnüren. Denn offenbar kann die massige Unterbindung des Armes die Rückkehr des in demselben befindlichen Blutes durch die Venen nach dem Herzen verhindern, aber nicht, dass neues Blut aus den Arterien hinzukomme, da diese unter den Venen liegen und ihre härtere Haut sich weniger zusammendrücken lässt. Also wird dadurch das von dem Herzen kommende Blut stärker nach dem Arm getrieben, als es von dort durch die Venen nach dem Herzen drängt. Da nun dieses Blut durch einen Schnitt in die Vene aus dem Arme herausfließt, so muss es 61 notwendig den Zugang unterhalb des Bandes haben, d. h. am Ende des Armes, wo es von der Arterie aus eintreten kann. Dieser Arzt beweist auch die Bewegung des Blutes durch die kleinen Häute, welche sich längs der Venen so gestellt befinden, dass das Blut nicht aus der Mitte des Körpers nach dessen Enden, sondern nur von da nach den Lungen fließen kann. Ebendasselbe folgt aus dem Umstande, dass das ganze Blut in kurzer Zeit durch eine einzige geöffnete Arterie ausfließen kann, wenn sie auch in der Nähe des Herzens stark unterbunden und zwischen dem Herzen und dem Bande geöffnet wird, da man dann das daraus fließende Blut durchaus nicht von anderwärts ableiten kann.

Es gibt indes noch manche andere Umstände, welche bestätigen, dass die von mir angegebene Ursache des Blutumlaufs die wahre ist. So kann erstens der Unterschied des Venen- von dem Arterienblut nur davon kommen, dass dieses bei seinem Durchgang durch das Herz verdünnt und gleichsam destilliert worden und deshalb feiner, lebendiger und heißer bei seinem Ausgange ist, d. h. in den Arterien, als vor seinem Eintritt, d. h. in den Venen. Bei genauerer Beobachtung zeigt sich dieser Unterschied nur in der Nähe des Herzens und nicht in den davon entfernten Stellen. Ferner zeigt die Härte der Haut bei der Arterienvene und der großen Arterie deutlich, dass das Blut gegen sie mit größerer Stärke als gegen die Venen pocht. Und weshalb wären die linke Herzkammer und die große Arterie weiter und geräumiger als die rechte und die Arterienvene, wenn nicht das Blut der Venenarterie, was von dem Herzen nur in die Lunge gegangen ist, feiner wäre und sich mehr und leichter verdünnte als das, was unmittelbar aus der Hohlvene kommt? Und wie könnten die Ärzte den Puls benutzen, wenn sie nicht wüssten, dass das Blut nach seinem verschiedenen Zustande mehr oder weniger durch die Hitze des Herzens verdünnt und beschleunigt werden kann? Wenn man nun fragt, wie sich diese Hitze den anderen Teilen mitteile, muss man da nicht das Blut als den Vermittler anerkennen, welches bei seinem Durchgang durch das Herz sich erhitzt und von da durch den ganzen Körper verbreitet? Wie kommt es, dass man mit Wegnahme des Blutes aus einem Gliede auch ihm seine Wärme nimmt? Selbst wenn das Herz so glühend wie geschmolzenes Eisen wäre, würde es doch Hände und Füße nicht so wie jetzt erwärmen können, wenn es ihnen nicht immer frisches Blut zusendete. Daraus ersieht man auch, dass der wahre Nutzen des Atmens darin besteht, den Lungen viel frische Luft zuzuführen, um das von der rechten Herzkammer kommende Blut, wo es verdünnt und gleichsam in Dunst umgewandelt worden ist, wieder in Blut zu ver- 62

dichten und zu verwandeln, ehe es in die linke Kammer tritt; denn sonst könnte es nicht zum Unterhalt der dort befindlichen Hitze dienen. Dies wird durch die Tiere ohne Lungen bestätigt, die nur *eine* Herzkammer haben; ebenso durch die Frucht im Mutterleibe, welche die Lungen nicht gebrauchen kann und deshalb eine Öffnung hat, durch welche das Blut der Hohlvene in die linke Herzkammer fließt, und eine Ader, die es, ohne durch die Lunge zu gehen, aus der Arterienvene in die große Arterie überführt. Wie sollte ferner die Verdünnung im Magen vor sich gehen, wenn das Herz nicht durch die Arterien Wärme und zugleich einzelne wirksamere Bestandteile des Blutes hinsendete, welche die Auflösung der in den Magen gelangten Fleischspeisen unterstützen? Ist nicht der Vorgang, welcher den Saft dieser Speisen in Blut umwandelt, leicht zu verstehen, wenn man bedenkt, dass dieser Saft bei seinem vielleicht hundert- bis zweihundertmal täglich erfolgendem Durchgang durch das Herz destilliert wird? Bedarf es etwas Weiteres, um die Entstehung und Unterhaltung der verschiedenen Säfte des Körpers zu erklären, als die Kraft, mit der das Blut bei seiner Verdünnung von dem Herzen nach den Enden der Arterien treibt, wobei einzelne Teile desselben in den Gliedern haften bleiben und andere vertreiben, an deren Stelle sie treten, und dass je nach der Lage, Gestalt und Größe der Poren, welche sie treffen, ein Teil sich eher hier wie dorthin zieht, ähnlich wie bekanntlich Siebe von verschiedener Feinheit zur Reinigung des Getreides benutzt werden? Das Merkwürdigste dabei bleibt die Erzeugung der Lebensgeister, die gleich einer feinen Luft oder einer reinen und lebhaften Flamme fortwährend in Menge vom Herzen in das Gehirn aufsteigen, von dort durch die Nerven in die Muskeln dringen und allen Gliedern die Bewegung verleihen, ohne dass es dazu einer anderen Ursache als des
63 Blutes bedarf, dessen beweglichste und durchdringendste Teile am meisten zur Bildung dieser Geister geeignet sind und eher nach dem Gehirn als anderswohin drängen. Die Arterien, welche sie dahin führen, gehen vom Herzen aus gerade dahin, und nach den Regeln der Mechanik, welches die der Natur sind, müssen, wenn mehrere Stoffe nach einer Richtung drängen, wo sie nicht alle Platz haben, wie dies mit dem Blute nach dessen Austritt aus der linken Herzkammer nach dem Gehirn der Fall ist, die schwächeren und mittleren Bestandteile desselben von den stärkeren zurückgedrängt werden, und letztere gelangen
64 so allein nach dem Gehirn.

Ich hatte dies alles in der Abhandlung, welche ich veröffentlichen wollte, genau dargestellt. Sodann hatte ich gezeigt, welcher Art die Tätigkeit der Nerven und Muskeln des menschlichen Körpers sein muss, damit die darin befindlichen Lebensgeister dessen Glieder bewegen können, wie man ja an den Köpfen, nachdem sie abgeschlagen sind, noch einige Zeit sieht, dass sie zucken und in die Erde beißen, obgleich sie nicht mehr lebendig sind. Ferner hatte ich die Veränderungen im Gehirn dargelegt, die das Wachen, Schlafen und Träumen hervorbringen; ferner wie das Licht, die Töne, die Gerüche, die Geschmäcke und übrigen Eigenschaften der Körper die Vorstellungen davon durch die Vermittlung der Sinne erwecken können, und wie der Hunger, der Durst und die übrigen inneren Gefühle auch ihre Vorstellungen erwecken. Ferner hatte ich gezeigt, was als der gemeinsame Sinn anzusehen ist, wo diese Vorstellungen empfangen werden, was als das Gedächtnis, das sie bewahrt, und was als die Fantasie, welche sie mannigfach verändern und zu Neuem verbinden kann. Ebenso hatte ich gezeigt, wie durch Verteilung der Lebensgeister in den Muskeln die Glieder des Körpers sich verschieden bewegen, und wie je nach den den Sinnen sich bietenden Gegenständen und inneren Gefühlen die Organe sich bewegen können, ohne dass der Wille sie leitet. Dies wird niemand wundern, der weiß, wie mancherlei Automaten oder sich bewegende Maschinen die menschliche Erfindungskraft mit Mitteln herstellen kann, die im Vergleich zu den Knochen, Muskeln, Nerven, Arterien, Venen und übrigen Teilen des tierischen Körpers nur geringfügig sind, und wie deshalb dieser Körper als eine von Gott gemachte Maschine unvergleichlich besser eingerichtet und in seinen Bewegungen viel wunderbarer sein wird als das, was die Menschen in dieser Beziehung erfinden können. Ich hatte hier gezeigt, 65 dass, wenn es solche Maschinen gäbe mit den Organen und der äußeren Gestalt eines Affen oder anderer unvernünftiger Tiere, wir kein Mittel haben würden, sie ihrer Natur nach von den Tieren zu unterscheiden. Hätten dagegen solche Maschinen Ähnlichkeit mit unserem Körper und ahmten sie seine Bewegungen so weit als möglich nach, so würden wir zwei untrügliche Mittel haben, um sie von wirklichen Menschen zu unterscheiden. Das Erste wäre, dass diese Maschinen nie sich der Worte oder Zeichen bedienen können, durch deren Verbindung wir unsere Gedanken einem anderen ausdrücken. Man kann zwar sich eine Maschine in der Art denken, dass sie Worte äußerte, und selbst Worte auf Anlass von körperlichen Vorgängen, welche eine Veränderung in ihren Organen hervorbringen; z. B. dass auf eine Berührung an einer Stelle sie fragte, was man wolle, oder schrie, dass man ihr wehtue, und Ähnliches; aber niemals wird sie diese Worte so stellen können, dass sie auf das in ihrer Gegenwart Gesagte verständig antwortet, wie es doch selbst die stumpfsinnigsten Menschen vermögen.

Zweitens würden diese Maschinen, wenn sie auch Einzelnes ebenso gut oder besser wie wir verrichteten, doch in anderen Dingen zurückstehen, woraus man entnehmen könnte, dass sie nicht mit Bewusstsein, sondern bloß mechanisch nach der Einrichtung ihrer Organe handelten. Während die Vernunft ein allgemeines Instrument ist, das auf alle Arten von Erregungen sich äußern kann, bedürfen diese Organe für jede besondere Handlung auch eine besondere Vorrichtung, und deshalb ist es moralisch unmöglich, dass es deren so viele in einer Maschine gibt, um in allen Vorkommnissen des Lebens so zu handeln, wie wir es durch die Vernunft können. Durch diese Mittel kann man auch den Unterschied zwischen Mensch und Tier erkennen. Denn es ist sehr merkwürdig, dass selbst der stumpfsinnigste und dümmste Mensch, ja sogar die Verrückten einzelne Worte verbinden und daraus eine Rede herstellen können, wodurch sie ihre Gedanken mitteilen, während selbst das vollkommenste und besterzeugte Tier dies nicht vermag. Dies liegt nicht an einem Mangel der Organe; denn die Elstern und die Papageien können Worte wie wir aussprechen und können doch nicht reden wie wir, d. h. ihre Gedanken äußern, während die Taubstummen, die der Organe des Sprechens ebenso oder mehr als die Tiere beraubt sind, aus sich selbst Zeichen erfinden, durch die sie sich denen verständlich machen, welche Muße haben, ihre Sprache zu lernen.

66

Dies zeigt nicht bloß einen niederen Grad von Vernunft bei den Tieren an, sondern dass sie ihnen ganz abgeht; denn zum Sprechen gehört nur wenig Vernunft. Da die einzelnen Tiere einer Gattung sich ebenso wie die einzelnen Menschen unterscheiden, und die einen leichter als die anderen zu dressieren sind, so würde der vollkommenste Affe oder Papagei in seiner Art gewiss es dem dümmsten Kinde oder einem blödsinnigen Kinde gleichtun, wenn ihre Seele nicht von der unsrigen völlig verschieden wäre. Man darf hierbei die Worte nicht mit den natürlichen Bewegungen vermengen, wodurch sich die Gefühle äußern, und welche die Menschen ebenso wie die Tiere nachmachen können, auch nicht mit einigen Alten glauben, dass die Tiere sprechen, und wir nur ihre Sprache nicht verstehen. Denn wäre dies der Fall, so würden bei der Übereinstimmung vieler ihrer Organe mit den unsrigen sie sich uns ebenso wie ihresgleichen verständlich machen können. Merkwürdig ist es allerdings, dass viele Tiere zwar in einzelnen Verrichtungen mehr Geschicklichkeit wie wir zeigen, dagegen in vielen anderen zurückstehen; aber daraus folgt nicht, dass sie Verstand haben, da sie sonst mehr haben und alles besser machen würden als wir, vielmehr erhellt daraus, dass sie keinen haben, und dass nur die Natur in ihnen, je nach der Stellung ihrer Organe, handelt. So kann ja auch eine Uhr mit bloßen Rädern und Federn viel genauer als wir mit all unserer Klugheit die Stunden zählen und die Zeit messen. 67

Demnächst hatte ich die vernünftige Seele beschrieben und gezeigt, dass sie auf keine Weise aus den Kräften des Stoffes, wie die übrigen erwähnten Dinge, abgeleitet werden könne, sondern dass sie besonders geschaffen sein müsse. Auch genügt es nicht, dass sie in den Körper, wie der Steuermann in dem Schiffe, gestellt sei, um seine Glieder zu bewegen, sondern dass sie enger mit ihm verbunden und geeint sei, wenn sie solche Empfindungen und Begehrungen wie wir haben und damit den ganzen Menschen herstellen soll. Ich habe etwas ausführlicher über die Seele wegen ihrer Wichtigkeit gehandelt; denn nächst dem Irrtume derer, die Gott leugnen, den ich oben genügend widerlegt habe, gibt es keinen, der die schwachen Geister mehr von dem Pfade der Tugend ableitet, als die Meinung, dass die Seelen der Tiere die gleiche Natur mit den unsrigen haben, und dass wir deshalb so wenig wie die Fliegen und Ameisen nach dem Tode etwas zu fürchten oder zu hoffen haben. Weiß man dagegen, wie sehr verschieden sie sind, so versteht man umso besser die Gründe, welche die Unabhängigkeit der Seele von ihrem Körper beweisen, und dass sie deshalb nicht zugleich mit ihm untergeht. Da man nun sonst keine Ursachen wahrnimmt, welche die Seele zerstören könnten, so ist man dann umso eher bereit, sie für unsterblich zu halten.

Sechster Abschnitt

Es sind nun drei Jahre, dass ich diese Abhandlung beendigt hatte und sie nochmals durchsah, um sie in die Hände des Druckers zu geben, als ich erfuhr, dass Männer, welche ich achte, und deren Ansehen 68 über meine Handlungen so viel wie meine Vernunft über meine Gedanken vermag, eine naturwissenschaftliche Ansicht gemissbilligt hatten, welche kürzlich veröffentlicht worden war, obgleich ich vorher in ihr nichts bemerkt hatte, was der Religion oder dem Staate schädlich sein könnte, und was mich an deren Abfassung hätte hindern können, wenn meine Gedanken mich darauf geführt hätten. Dies ließ mich fürchten, dass auch in der meinigen sich Stellen finden möchten, wo ich mich getäuscht haben könnte, obgleich ich sorgfältig jede Neuerung von meinem Glauben, für die ich keine Beweise hatte, und alles, was anderen zum Nachteil gereichen könnte, abgehalten hatte.

So änderte ich meinen Entschluss und unterließ die Veröffentlichung. Wenn auch früher starke Gründe dafür sprachen, so habe ich doch von jeher das Handwerk des Büchermachens gehasst, und fand daher leicht andere Gründe zu meiner Entschuldigung. Diese Gründe für und wider sind derart, dass es nicht bloß mich interessiert, sie mitzuteilen, sondern vielleicht auch das Publikum, sie zu hören.

Ich habe niemals meine Gedanken sehr hoch gehalten, und hätte ich keinen anderen Nutzen von meiner Methode gehabt, als dass sie mich über manchen schwierigen Punkt in den spekulativen Wissenschaften beruhigt, und dass ich mein Verhalten nach ihr zu regeln gesucht, so hätte ich mich nicht für verpflichtet gehalten, etwas darüber zu schreiben. Denn über das praktische Leben hat jedermann seine eigenen Gedanken, und es würde so viel Reformatoren wie Köpfe geben, wenn neben denen, welche Gott zu den Oberhäuptern der Völker bestellt hat, oder welche er als Propheten mit seiner Gnade und mit Eifer ausgestattet hat, jeder Veränderungen machen könnte. Obgleich mir also meine Gedanken sehr gefielen, so glaubte ich, dass dies bei 69 den anderen mit den ihrigen nicht minder der Fall sein werde. Als ich jedoch in der Physik gewisse allgemeine Begriffe gewonnen hatte und bei deren Anwendung auf einige schwierige Fragen ihre Tragweite und ihre Unterschiede von den bis jetzt angewandten Prinzipien bemerkte, so glaubte ich sie nicht zurückhalten zu dürfen, wenn ich nicht gegen das Gesetz verstoßen wollte, welches uns das allgemeine Beste zu befördern heißt. Denn mittelst ihrer kann man zu Kenntnissen gelangen, die für das Leben höchst nützlich sind, und anstatt jener in den Schulen gelehrten spekulativen Philosophie eine praktische finden, welche uns die Kraft und Wirkungen des Feuers, des Wassers, der Luft, der Gestirne, des Himmels und aller Körper, die uns umgeben, so genau kennen lehrt, wie wir die verschiedenen Tätigkeiten unserer Handwerker kennen, sodass wir jene ebenso wie diese zu allen passenden Zwecken verwenden und uns so zu dem Herrn und Meister der Natur machen können. Dies ist nicht bloß für die Erfindung zahlloser Verfahrungsweisen wünschenswert, die uns die Früchte und Behaglichkeiten der Erde ohne Mühe gewähren würden, sondern auch für die Erhaltung der Gesundheit, die das höchste Gut dieses Lebens und die Grundlage für alle anderen ist. Denn selbst die Seele ist so sehr von dem Zustande und der Verfassung der Organe ihres Körpers abhängig, dass, wenn man ein Mittel, die Menschen klüger und geschickter als bisher zu machen, finden will, man es in der Medizin zu suchen hat. Allerdings enthält die jetzt geübte wenig, was einen solchen bedeutenden Nutzen gewährte, und ich glaube, ohne sie zu verachten, doch, dass jedermann, selbst von ihren Jüngern, eingestehen wird, wie das, was er von ihr weiß, beinahe nichts ist im Vergleich zu dem Übrigen, was er nicht weiß. Man würde sich vor einer Unzahl Krankheiten des Körpers und der Seele schützen und vielleicht selbst die Schwäche des Alters überwinden können, wenn man deren Ursachen und die von der Natur dafür vorgesehenen Mittel hinlänglich kennte. Ich entschloss mich daher, mein ganzes Leben zur Gewinnung einer so nützlichen 70 Wissenschaft zu verwenden, und ich glaube einen Weg entdeckt zu haben, in dessen Fortgang ich sie früher finden werde, wenn nicht die Kürze des Lebens oder der Mangel an genügenden Beobachtungen mich daran hindern sollte. Gegen diese Hindernisse gibt es nun kein besseres Hilfsmittel, als dem Publikum getreu das Wenige, was ich gefunden habe, mitzuteilen und so fähige Köpfe zum weiteren Fortschritt anzuspornen, wobei jeder nach seiner Neigung und seinem Geschick die erforderlichen Versuche vermehren und dem Publikum alles Ermittelte mitteilen müsste, damit die Späteren da anfangen könnten, wo die Vorgänger aufgehört haben. So würden wir durch die Verbindung des Lebens und der Kräfte mehrerer zusammen viel weiter gelangen, als es jedem Einzelnen für sich möglich ist.

Diese Versuche werden immer notwendiger, je mehr man in der Kenntnis vorschreitet. Für den Anfang kann man sich mit den Erfahrungen begnügen, die sich von selbst den Sinnen darbieten, und die uns nicht unbekannt bleiben würden, wenn wir nicht über die Aufsuchung des Seltenen und Schwierigen sie übersähen. Denn die seltenen Ereignisse täuschen oft, wenn man die Ursachen der gewöhnlichen noch nicht kennt, und die Umstände, welche jene bedingen, sind überdies meist so besondere und so kleine, dass man sie schwer bemerkt. [71]

Die Ordnung, welche ich dabei innegehalten habe, war also Folgende: Zuerst habe ich im Allgemeinen die Prinzipien oder die ersten Ursachen von allem, was in der Welt ist oder sein kann, zu finden gesucht. Ich setzte dabei nur Gott, der sie geschaffen hat, voraus und entwickelte alles nur aus jenem Samen der Wahrheit, welcher von Natur in unsere Seele gelegt ist. Demnächst habe ich gefragt: Welches sind die ersten und gewöhnlichsten Wirkungen, die aus diesen Ursachen abgeleitet werden können? Dadurch habe ich die Himmel, die Gestirne, eine Erde und auf dieser das Wasser, die Luft, das Feuer, die Mineralien und anderes gefunden, was das Einfachste und Bekannteste und deshalb auch am leichtesten zu erkennen ist. Als ich dann zu den verwickelteren Gegenständen fortschreiten wollte, stellten sich mir so mannigfache dar, dass der menschliche Geist nach meiner Ansicht die Gestalten und Arten der vorhandenen von unzähligen anderen, die, wenn Gott es gewollt hätte, auch vorhanden sein könnten, nicht unterscheiden noch einen Anhalt über deren Nutzen für uns entnehmen kann, wenn man nicht von den Wirkungen auf die Ursachen zurückgeht und verschiedene Versuche zu Hilfe nimmt. Indem ich infolgedessen in meinem Geiste alle Dinge, die sich je meinen Sinnen dargestellt hatten, durchging, war ich imstande, jedes aus den von mir gefundenen Prinzipien bequem abzuleiten. Allein ich muss auch anerkennen, dass die Macht der Natur so weit und umfassend, und diese Prinzipien so einfach und allgemein sind, dass es keine besondere Wirkung gibt, die nicht in verschiedener Weise daraus abgeleitet [72] werden könnte, und dass die größte Schwierigkeit meist in der Ableitung der bestimmten Formen besteht. Ich weiß hierfür kein anderes Hilfsmittel, als Versuche anzustellen, deren Ergebnisse sich nach Verschiedenheit dieser Formen verschieden herausstellen. Ich bin jetzt so weit, dass ich die Gesichtspunkte kenne, nach denen die dazu dienlichen Versuche in der Regel anzustellen sind; allein sie sind auch solcher Art und Anzahl, dass weder meine Hände noch meine Mittel, und wären sie tausendfach größer, dazu hinreichen würden. Ich kann deshalb auch nur nach der Zahl der von mir vollführbaren Versuche in der Naturkenntnis vorschreiten. Dies war es, was ich in der fraglichen Abhandlung darlegen wollte; es lag mir daran, den für das Allgemeine daraus hervorgehenden Nutzen so klar zu zeigen, dass alle, welche das Beste für die Menschheit erstreben, d. h. alle, die tugendhaft sind und es nicht bloß scheinen oder nur in ihren Gedanken sein wollen, mir ihre Ergebnisse mitteilen und mir helfen müssten, die noch erforderlichen Versuche zu unternehmen.

Allein seitdem haben andere Gründe mich meine Ansicht ändern lassen und mich bestimmt, zunächst nur getreulich in der Niederschreibung aller wichtigen Dinge fortzufahren, deren Wahrheit ich ermittelte, und dabei ebenso sorgfältig zu verfahren, als ob ich sie durch den Druck veröffentlichen wollte. Denn dies nötigt mich zu einer sorgfältigeren Prüfung, da man alles genauer ansieht, was von mehreren gesehen werden soll, und was man nicht für sich behält; auch hält man oft Dinge bei dem Beginn der Arbeit für wahr, deren Unwahrheit man dann bei dem Niederschreiben bemerkt. Auch wollte ich keine Gelegenheit vorübergehen lassen, und sollten meine Schriften etwas wert sein, so kann auch nach meinem Tode der angemessene Gebrauch von ihnen gemacht werden; aber ich mochte sie in keinem Falle bei Lebzeiten veröffentlichen, damit weder die dadurch veranlassten Entgegnungen und Streitigkeiten, noch der etwa daraus für mich hervorgehende Ruhm mir die Zeit für meine eigene Belehrung beschränkten. Denn so wahr es ist, dass jedermann nach Möglichkeit das Beste anderer befördern soll, und dass *der* nichts wert ist, der niemand nützt, so ist es doch gleich wahr, dass unsere Fürsorge sich über die Gegenwart hinaus erstrecken muss, und dass man besser manches unterlässt, 73 was vielleicht den Lebenden einigen Nutzen bringt, wenn man dafür anderes zustande bringt, was unseren Nachkommen größere Vorteile gewährt. Jeder soll wissen, dass das Wenige, was ich bisher gelernt habe, nichts ist in Vergleich zu dem, was ich nicht weiß, und was zu erlernen ich noch nicht verzweifle. Denn es verhält sich mit denen, welche nach und nach die Wahrheit in den Wissenschaften entdecken, wie mit den reich gewordenen Leuten, welche nun große Gewinne leichter machen, als früher kleine, wo sie noch arm waren. Oder man kann sie auch mit Heerführern vergleichen, deren Truppen mit ihren Siegen wachsen, und die nach dem Verlust einer Schlacht schwerer sich selbst aufrecht erhalten können, als sie nach dem Gewinn einer solchen Städte und Provinzen erobern. Denn man kämpft wahrhaft Schlachten, wenn man die Schwierigkeiten und Abwege zu beseitigen sucht, die der Erlangung der Wahrheit entgegenstellen, und es heißt eine Schlacht verlieren, wenn man bei einem allgemeinen und wichtigen Punkte in eine falsche Meinung gerät; man braucht dann viel mehr Geschicklichkeit, um in den alten Stand zurückzukehren, als um große Fortschritte zu machen, wenn man schon wohlbegründete Prinzipien hat.

Wenn ich einige Wahrheiten in den Wissenschaften aufgefunden habe (und ich hoffe, der Inhalt dieses Werkes wird dies beweisen), so ist dies nur in Folge und in Abhängigkeit von fünf oder sechs von mir gelösten schwierigen Fragen geschehen, welche Lösungen ich für so viel Siege zähle, wo das Glück mir günstig war; ich scheue mich aber nicht, zu sagen, dass ich nur noch zwei oder drei ähnliche zu gewinnen brauche, um an das Ziel meines Strebens zu gelangen, und dass mein Alter noch nicht so vorgerückt ist, um nicht nach dem gewöhnlichen Lauf der Natur die genügende Muße für die Ausführung 74 dessen mir zu gewähren. Ich muss aber mit der mir noch übrigen Zeit umso sparsamer sein, je mehr ich hoffe, sie gut anwenden zu können, und ich würde unzweifelhaft viel Zeit verlieren, wenn ich die Grundlagen meiner Physik veröffentlichte. Denn sie sind zwar so überzeugend, dass man sie nur zu hören braucht, um ihnen beizutreten, und dass ich sie jedermann beweisen kann, allein sie können unmöglich mit den mannigfachen Ansichten anderer stimmen, und ich würde deshalb durch die hervorgerufenen Entgegnungen oft an meiner Aufgabe gehindert werden.

Man könnte zwar sagen, diese Entgegnungen würden ihren Nutzen haben; sie würden mich meine Fehler erkennen lassen, und es würde das von mir gewonnene Gute die Kenntnisse der anderen vermehren. Auch würden, da viele mehr sehen als ein Einzelner, jene in Benutzung des von mir Gefundenen mir wieder mit ihren Entdeckungen zu Hilfe kommen. Ich erkenne nun gern an, dass ich mich irren kann, und dass ich mich nie auf das verlasse, was mir zuerst in die Gedanken kommt; allein Erfahrungen, welche ich über die zu erwartenden Entgegnungen bereits gemacht habe, lassen mich davon keinen Vorteil erwarten. Denn ich habe schon öfter die Urteile geprüft, die teils von meinen Freunden, teils von Unparteiischen und selbst von solchen kamen, deren Bosheit und Neid alles aufsuchte, was meine Freunde etwa übersehen hatten; aber selten habe ich etwas darin gefunden, was ich nicht vorausgesehen gehabt, oder was nicht von der Sache weit abgelegen hätte. So habe ich selten jemand getroffen, der mich mehr streng oder weniger billig beurteilt hätte, als ich es schon selbst getan. Auch habe ich nicht bemerkt, dass durch die in den Schulen gepflegten Disputationen eine unbekannte Wahrheit entdeckt worden wäre. Indem dabei jeder nur auf seinen Sieg bedacht ist, benutzt man mehr das Wahrscheinliche, als dass man das Gewicht der Gründe für und wider erwägt, und wer lange ein guter Advokat gewesen, ist deshalb nachher noch kein guter Richter. 75

Selbst der Nutzen, welchen andere aus der Mitteilung meiner Gedanken ziehen könnten, würde nicht erheblich sein, da sie noch nicht so ausgeführt sind, dass vor ihrem Gebrauche nicht noch manches hinzugefügt werden müsste, wofür niemand besser als ich selbst geeignet ist. Denn andere können wohl viel klüger als ich sein, aber man begreift die von einem anderen mitgeteilten Sachen nicht so gut und nimmt sie nicht so in sich auf, als was man selbst entdeckt hat. Dies ist in diesen Dingen so wahr, dass ich oft einzelne meiner Ansichten klugen Leuten dargelegt habe, die dabei alles gut zu fassen schienen; allein wenn sie sie wiederholten, hatten sie sie meist so verändert, dass ich sie nicht mehr für die meinigen anerkennen konnte. Ich bitte deshalb bei dieser Gelegenheit, meinem Enkel bei Dingen, die angeblich von mir herrühren sollen, es nur zu glauben, wenn ich sie selbst bekannt gemacht habe. Ich wundere mich deshalb auch über all die Sonderbarkeiten nicht, die man von alten Philosophen, deren Schriften wir nicht mehr besitzen, berichtet, und halte deshalb ihre Lehren nicht für verkehrt; denn sie waren vielleicht die besten Geister ihrer Zeit, und wir sind nur schlecht über sie unterrichtet. Deshalb hat auch selten einer ihrer Schüler sie übertroffen, und ich bin überzeugt, dass die, welche gegenwärtig die leidenschaftlichsten Anhänger des Aristoteles sind, sich glücklich schätzen würden, wenn sie seine Naturkenntnisse besäßen, selbst unter der Bedingung, dass sie niemals mehr davon erlangen sollten. Solche Leute gleichen den Schlingpflanzen, die nicht höher streben als der Baum, der sie hält, und die oft, wenn sie den Gipfel erreicht haben, wieder herabsteigen, d. h. die dann oft weniger wissen, als wenn sie sich von dem Studium ganz ferngehalten hätten; denn sie begnügen sich nicht mit dem, was von ihrem Lehrer deutlich gesagt worden ist, sondern suchen auch die Lösung von Fragen bei ihm, wovon er nichts gesagt, und an die er vielleicht gar nicht gedacht hat. Jedenfalls ist diese Art zu philosophieren für mittelmäßige Köpfe sehr bequem; denn mittelst der Dunkelheit der von ihnen gebrauchten Unterscheidungen und Prinzipien können sie von allem so dreist sprechen, als ob sie es verständen, und ihre Behauptungen gegen die feinsten und geschicktesten Gegner aufrecht erhalten, ohne dass sie zu überführen sind. Sie gleichen hierin einem Blinden, der, um sich mit einem Sehenden ohne Nachteil schlagen zu können, ihn in die Tiefe einer dunklen Höhle lockt, und ich kann sagen, sie haben ein Interesse dabei, dass ich die Grundsätze meiner Philosophie nicht veröffentliche; denn bei deren Einfachheit und Klarheit wäre es ebenso, als ob ich die Fenster öffnete und Licht in diese Höhle fallen ließe, in die sie zum Kampfe hinabgestiegen sind. Aber selbst die besseren Köpfe haben keinen Grund, sich die Kenntnis derselben zu wünschen; denn wenn sie lernen wollen, über alles zu sprechen und als Gelehrte zu gelten, so werden sie dies leichter erreichen, wenn sie sich mit dem Wahrscheinlichen begnügen, was man in jedem Gebiete leicht finden kann, als wenn sie nach der Wahrheit suchen, die nur in einzelnen Dingen sich allmählich offenbart, und die, wenn man über andere Dinge sprechen soll, zu dem offenen Bekenntnis der Unwissenheit nötigt. Ziehn sie aber die Kenntnis einiger Wahrheiten, wie sie es verdienen, dem eitlen Schein, alles zu wissen, vor, und wollen sie ein Ziel gleich dem meinigen verfolgen, so brauchen sie von mir nichts mehr zu erfahren, als was ich in dieser Abhandlung gesagt habe. Denn können sie weiter kommen als ich, so werden sie umso eher das auch finden, was ich gefunden habe, und da ich alles nur in der gehörigen Folge untersucht habe, so ist offenbar das, was ich noch zu entdecken habe, schwieriger und verborgener, als das bisher Gewonnene; es würde ihnen deshalb weniger Vergnügen machen, es von mir als von sich selbst zu lernen. Überdem wird die Übung, welche sie erlangen, wenn sie erst mit dem Leichteren beginnen und allmählich zum Schwereren übergehen, ihnen mehr nützen als alle meine Lehren. Wenigstens würde ich selbst, wenn man mir seit meiner Jugend alle Wahrheiten, deren Beweise ich seitdem gesucht habe, gelehrt hätte, und ich keine Mühe, sie zu erlangen, gehabt hätte, vielleicht nichts weiter gelernt und nie das Geschick und die Leichtigkeit erlangt haben, mit der ich immer neue Wahrheiten in dem Maße zu finden hoffe, als ich mir Mühe gebe, sie zu suchen. Mit *einem* Wort, wenn es in der Welt ein Werk gibt, das nur von dem gut vollendet werden kann, der es angefangen hat, so ist es das, an welchem ich arbeite. 77

Allerdings reicht zu allen dabei erforderlichen Versuchen *ein* Mensch allein nicht zu; aber er würde andere Hände als die seinigen dazu nur dann verwenden können, wenn es die von Künstlern oder Leuten wären, die er bezahlen könnte; da die Hoffnung auf Gewinn sie am wirksamsten anspornen würde, alles, was man ihnen vorschriebe, auf das Genaueste auszuführen. Denn die, welche aus Neugierde oder Wissbegierde sich zur Hilfe anbieten, versprechen meist mehr, als sie halten können, und machen schöne Anfänge, die aber nicht gelingen. Dabei verlangen sie als Lohn die Erklärung schwieriger Punkte oder unnötige Komplimente und Unterhaltungen, die dem Verfasser die ganze Zeit kosten würden, die er darauf verwenden müsste. Selbst wenn andere die von ihnen gemachten Versuche ihm mitteilen wollten, was die, welche sie Geheimnisse nennen, schwerlich tun würden, so sind diese Versuche doch meist so mit überflüssigen Nebendingen und Zutaten vermengt, dass es schwer ist, die darin enthaltene Wahrheit herauszubringen. Dazu kommt, dass die meisten schlecht dargestellt oder falsch sein würden, da die Veranstalter der Versuche immer geneigt sind, sie den Prinzipien entsprechend ausfallen zu machen; sodass, selbst wenn einzelne brauchbar wären, es doch nicht der Zeit verlohnte, sie herauszusuchen. Gäbe es daher auf der Welt jemand, der die größten und nützlichsten Dinge für die Menschheit erfinden könnte, und wollten die anderen ihm dabei zur Erreichung seines Zieles auf alle Weise behilflich sein, so würden sie dies doch nur vermögen, wenn sie die Kosten der nötigen Versuche trügen und im Übrigen dafür sorgten, dass seine Muße nicht durch die Zudringlichkeit anderer gestört würde. Ich dagegen bin nicht so übermütig, etwas Außerordentliches zu versprechen, und nicht so eitel, um mir einzubilden, das Publikum interessiere sich sehr für meine Pläne; auch habe ich keine so niedere Gesinnung, um von irgendjemand eine Gunst anzunehmen, die man nicht für verdient halten möchte. Alle diese Erwägungen bestimmten mich vor drei Jahren, die Veröffentlichung der in Arbeit befindlichen Abhandlung zu unterlassen und während meines Lebens auch keine andere von gleicher Allgemeinheit 78 bekannt zu machen, aus der man die Grundlagen meiner Physik entnehmen könnte. Seitdem haben mich indes zwei andere Gründe zur Bekanntmachung einiger besonderen Arbeiten bestimmt, worüber ich hier dem Publikum Rechenschaft zu geben habe. Der erste ist, dass meine frühere Absicht, einige meiner Schriften zu veröffentlichen, nicht unbekannt geblieben war, und nun, wenn ich es unterließe, dies zu meinem Nachteil ausgelegt werden könnte. Denn wenn ich auch nicht ehrgeizig bin, sondern den Ruhm eher scheue, weil er der Ruhe schadet, die ich über alles schätze, so mag ich doch auch meine Handlungen nicht wie ein Unrecht verheimlichen, und ich habe nie Vorsichtsmaßregeln gebraucht, um unbekannt zu bleiben, da dies ein Unrecht gegen mich gewesen wäre und mich abermals in der Seelenruhe gestört hätte, die ich suche. Indem ich so mich in der Mitte hielt zwischen dem Streben, bekannt zu werden und unbekannt zu bleiben, ist es gekommen, dass ich doch einigen Ruf erlangt habe, und so glaubte ich wenigstens vor schlechter Nachrede mich schützen zu müssen. Der andere Grund, der mich zu dieser Schrift bestimmt hat, ist, dass ich täglich mehr einsah, wie sehr meine Absicht, mich zu unterrichten, dadurch gehindert wurde, dass ich eine Unzahl Versuche brauche, die ich allein nicht vornehmen kann. Wenn ich mir nun auch nicht schmeichle, dass das Publikum an meinen Plänen großen Anteil nehmen werde, so will ich doch nicht das Misstrauen gegen mich zu weit treiben, damit nicht die, welche mich überleben, mir vorwerfen könnten, ich hätte ihnen vieles besser hinterlassen können, als es geschehen, wenn ich nicht verabsäumt hätte, sie über die Art, 79 wie sie meine Absichten unterstützen könnten, zu unterrichten.

Auch habe ich geglaubt, leicht einige Gegenstände ausfinden zu können, die den Streitigkeiten weniger ausgesetzt sind, und die von meinen Prinzipien nicht mehr, als ich wünsche, im Voraus verraten, aber doch deutlich erkennen lassen, was ich in den Wissenschaften vermag, und was nicht. Ich weiß nicht, ob ich dies erreicht habe, und ich mag nicht das Urteil anderer durch die eigene Beurteilung meiner Schriften bestimmen; aber es würde mich freuen, wenn man sie prüfte; und um dazu mehr Anlass zu geben, bitte ich alle, die Entgegnungen zu machen haben, sie an meinen Buchhändler zu senden; sobald ich sie von diesem erhalte, werde ich meine Antwort hinzufügen, und so werden die Leser, indem sie beides vor sich haben, leichter über die Wahrheit entscheiden können. Ich verspreche, diese Antworten kurz zu halten und meine Fehler, sobald ich sie erkenne, offen einzugestehen, im anderen Falle aber einfach das zur Verteidigung meiner Ansichten Erforderliche anzuführen, ohne neue Gegenstände hineinzuziehen und so ohne Ende das eine mit dem anderen zu vermengen.

Wenn einige meiner Sätze in dem Beginn der »Dioptrik« und der »Meteore« Bedenken erregen, weil ich sie Voraussetzungen nenne und sie scheinbar nicht beweise, so lese man nur aufmerksam und beharrlich weiter, und ich hoffe, man wird befriedigt sein; denn die Gründe greifen hier so ineinander, dass, sowie die letzteren aus den ersteren, als ihren Ursachen, hervorgehen, auch wieder die ersteren durch die letzteren, als durch ihre Wirkungen, bestätigt werden. Auch darf man nicht meinen, ich habe hier den Fehler begangen, welchen die Logiker den Zirkelschluss nennen; denn die Versuche bestätigen die meisten dieser Wirkungen, und die Ursachen, von denen ich sie abgeleitet, dienen weniger zu ihrem Beweis als zu ihrer Erläuterung; im Gegenteil werden sie durch jene bewiesen. Ich habe jene Sätze auch nur Voraussetzungen genannt, weil ich glaube, sie aus den obersten oben dargelegten Wahrheiten ableiten zu können; aber dies habe ich nur getan, damit Personen, die meinen, in einem Tage das zu verstehen, worüber ein anderer zwanzig Jahre nachgedacht hat, sobald man ihnen nur zwei oder drei Worte gesagt hat, und die bei ihrem Scharfsinn und 80 ihrer Lebhaftigkeit umso leichter dem Irrtum unterworfen sind, nicht daraus Gelegenheit nehmen, auf das, was sie meine Prinzipien nennen, eine überschwängliche Philosophie zu errichten, und ich dann dafür verantwortlich gemacht werde. Denn die Ansichten, welche ganz meine eigenen sind, brauche ich nicht wegen ihrer Neuheit zu entschuldigen; sieht man die Gründe dafür an, so wird man finden, dass sie so einfach und mit dem gesunden Verstande so übereinstimmend sind, dass sie für weniger außerordentlich und seltsam als irgend andere über denselben Gegenstand gelten können. Auch rühme ich mich nicht, der erste Entdecker davon zu sein, obgleich ich sie von niemand erhalten habe; nicht, weil andere sie bereits ausgesprochen oder nicht ausgesprochen haben, sondern weil die Vernunft mich darauf geführt hat.

Wenn die Mechaniker die in der »Dioptrik« beschriebene Erfindung nicht gleich ausführen können, so wird man letztere deshalb noch nicht für schlecht erklären können. Denn bei der Geschicklichkeit und

Übung, welche die Anfertigung und Einrichtung der von mir beschriebenen Maschinen erfordert, würde ich mich, obgleich ich dabei nichts übersehen habe, vielmehr ebenso wundern, wenn ihnen dies gleich das erste Mal gelänge, als wenn jemand in einem Tage aufgrund einer bloßen guten Unterweisung das Lautespielen erlernte. Wenn ich französisch, in meiner Muttersprache, und nicht lateinisch, in der Sprache meiner Lehrer, schreibe, so geschieht es in der Hoffnung, dass Leser mit gesundem und unverdorbenem Sinn besser über meine Ansichten urteilen werden als Leute, die nur auf die alten Bücher schwören. Die, welche Geist mit Gelehrsamkeit verbinden, und die ich mir zu Richtern wünsche, werden hoffentlich keine solche Vorliebe für das Latein haben, dass sie meine Darstellung deshalb nicht lesen mögen, weil sie ihnen in der Muttersprache geboten wird.

Zum Schluss will ich nicht von den Fortschritten sprechen, die ich in den Wissenschaften noch zu machen hoffe, und dem Publikum nichts versprechen, was ich nicht sicher halten kann; aber ich bekenne offen, dass ich entschlossen bin, die noch übrige Zeit meines Lebens 81 nur dem Studium der Natur zu weihen, um daraus zuverlässigere Regeln als die bisherigen für die Medizin ableiten zu können. Meine Neigungen sind jeder anderen Richtung, insbesondere solchen, die dem einen nicht nützen, ohne dem anderen zu schaden, so entgegen, dass, selbst wenn die Umstände mich dahin drängten, ich doch keinen Erfolg erreichen würde. Ich erkläre dies hier öffentlich, obgleich ich weiß, dass es nicht zu meinem Ansehen in der Welt beitragen wird. Daran liegt mir jedoch wenig; ich werde immer denen am meisten verpflichtet sein, deren Gunst mich meine Muße ohne Störung genießen lässt, und nicht denen, welche mir die ehrenvollsten Stellen von der Welt anbieten.

82 *Schluss.*

Biografie

1596 *31. März:* René Descartes wird in La Haye (Touraine) geboren. Er stammt aus einer adligen Familie.

1604 Descartes bezieht das Jesuitenkolleg in La Flèche (Anjou). Hier widmet er sich dem Studium der scholastischen Philosophie und der Naturwissenschaft.

1613 Er beginnt ein Jurastudium in Poitiers.

1615 Descartes wechselt nach Paris, um dort Mathematik zu studieren.

1617 Er leistet Kriegsdienst in den Armeen Moritz' von Nassau und des Kurfürsten Maximilian von Bayern.

1618 In Ulm kommt es zur Begegnung mit Beekmann; Descartes erfährt wichtige Anregungen in der Mathematik und Physik.

1619 In den Winterquatieren zu Neuburg an der Donau erkennt Descartes, daß eine einheitliche Naturwissenschaft auf mathematisch-deduktiver Basis zu errichten ist.

1621 Er gibt den Kriegsdienst auf und geht auf Reisen durch Deutschland, Polen, die Schweiz, Italien und Frankreich.

1625 Einige Jahre bleibt Descartes nun in Paris.

1629 Der Philosoph emigriert nach Holland. Dort verfaßt er den größten Teil seiner wissenschaftlichen Werke.
Es kommt zum Kontakt zu Mersenne.
Unter dem Eindruck des Prozesses gegen Galilei verzichtet Descartes darauf, sein physikalisches Werk »Le monde« zu publizieren.

1637 Es erscheint der »Discours de la Méthode pour bien conduire sa raison et chercher la vérité« (Von der Methode des richtigen Vernunftgebrauchs und der wissenschaftlichen Forschung). Dabei handelt es sich um allgemeine Betrachtungen zur Methode wissenschaftlichen Erkennens. Es ist eine Art Vorbericht der »Essais« und ein Resümé der eigenen geistigen Entwicklung. Von besonderem Interesse sind dabei der berühmte »Zweite« und »Vierte« Teil (»je pense, donc je suis; »ich denke, also bin ich« als der erste Grundsatz der Philosophie). »Essais«, bestehend aus: »La géometrie« (Grundlegung der analytischen Geometrie), »Dioptrique« (Theorie der Lichtbrechung), »Météores« (Erklärung des Regenbogens).

1641 »Meditationes de prima philosophia, in quibus Dei existentia et animae humanae a corpore distinctio demonstratur« (Meditationen über die Erste Philosophie, worin das Dasein Gottes und die Unterschiedenheit der menschlichen Seele von ihrem Körper bewiesen wird). Descartes setzt sich hier mit den Einwänden bedeutender Gelehrter wie Mersenne, Hobbes, Arnauld und Gassendi auseinander.

1644 »Principia philosophiae« (Die Prinzipien der Philosophie). Hier behandelt Descartes erkenntnistheoretische, naturphilosophische und kosmologische Fragestellungen.

1649 »Traité des passions de l'ame« (Die Leidenschaften der Seele). Descartes folgt einer Einladung der Königin Christine nach Stockholm.

1650 *11. Februar:* René Descartes stirbt in Stockholm.

1662 »De homine« (posthum).

1664 »Traité de l'homme« (Über den Menschen«) erscheint zusammen mit »Traité de la lumière ou le monde«. Dies ist der neue Titel der unvollendet gebliebenen Schrift »Le monde« (posthum).

1701 »Regulae ad directionem ingenii« (Regeln zur Leitung des Geistes).
»Inquisitio veritatis per lumen naturale« (Die Erforschung der Wahrheit durch das natürliche Licht) (posthum).

Lektürehinweise

L. Gäbe, Descartes' Selbstkritik. Untersuchungen zur Philosophie des jungen Descartes, Hamburg 1972.

W. Röd, Descartes. Die Genese des Cartes. Rationalismus, München 1982 (2. Aufl.).

R. Specht, René Descartes, Reinbek bei Hamburg 1984 u.ö.

Lightning Source UK Ltd.
Milton Keynes UK
UKHW022004210121
377486UK00003B/207